초등영문법

Longman GRAMMAR HOUSE 초등영문법 ❻

지은이 교재개발연구소
편집 및 기획 English Nine
발행처 Pearson Education South Asia Pte Ltd.
판매처 inkedu(inkbooks)
전화 02-455-9620(주문 및 고객지원)
팩스 02-455-9619
등록 제13-579호

ISBN 978-11-88228-56-0 (63740)

잘못된 책은 구입처에서 바꿔 드립니다.

Longman

GRAMMAR HOUSE

초등영문법

6

Pearson

Introduction

GRAMMAR HOUSE 초등영문법 시리즈는
총 6권으로 영어 문법을 처음 시작하는 초등학생들이 초등영문법을
완전 마스터할 수 있게 구성되어 있습니다.
간략하고 쉬운 문법 설명과 반복되는 문제들을 풀다보면
어느새 문법이 친근하게 느껴집니다.

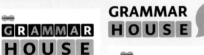

GRAMMAR
HOUSE **6**

Contents

실전모의고사 1회

실전모의고사 2회

실전모의고사 3회

본문 강의

 문장의 구성 요소와 문장의 5형식

영어 문장은 주어, 동사, 목적어, 보어로 구성되어 있으며, 이들이 어떻게 문장을 구성하느냐에 따라 다섯 가지 문장으로 구별할 수 있습니다. 우리가 영어를 올바르게 쓰고, 해석하기 위해서는 영어의 다섯 가지 문장의 형태를 알아야 합니다.

주어	문장의 주인공 역할을 하며 '~은, 는, 이, 가'로 해석됩니다. 명사와 대명사가 주어 자리에 옵니다.
동사	'~하다, ~이다, ~있다' 등으로 해석하며 주어의 행동이나 상태를 설명합니다. 보통 주어의 뒤에 위치합니다.
목적어	주어가 행한 동작의 대상이 되는 말입니다.
보어	주어나 목적어를 보충 설명하는 말입니다.
수식어	문장의 내용을 좀 더 풍부하고 자세하게 표현하는 역할을 합니다. ※ 수식어는 문장의 형식에 영향을 주지 않습니다.

> **Tips** 영어에서 수식어란 꾸며주는 말입니다. 영어에는 크게 2가지의 수식어가 있는데 바로 형용사와 부사(상당어구)입니다.

 1형식 문장 – 1형식 문장은 [주어+동사]로 이루어진 문장입니다.

They cried. 그들은 울었다.
<u>주어</u>   <u>동사</u>

The sun rises. 태양은 떠오른다.
<u>주어</u>   <u>동사</u>

They cried loudly. 그들은 큰 소리로 울었다.
<u>주어</u>   <u>동사</u>   <u>수식어(부사)</u>

The sun rises in the east. 태양은 동쪽에서 떠오른다.
<u>주어</u>   <u>동사</u>   <u>수식어(부사구)</u>

 There로 시작하는 문장 – [There+be동사+주어+수식어] 형태로 1형식 문장입니다.

There is/are 다음에 오는 명사가 주어입니다. 이때 There는 '거기에'라고 해석하지 않습니다.
There is/are는 '~이 있다'라고 해석합니다.

There is a computer on the desk. 책상 위에 컴퓨터가 있다.
<u>부사</u> <u>동사</u> <u>주어</u>   <u>수식어(부사구)</u>

There are many people in the museum. 박물관에 많은 사람들이 있다.
<u>부사</u> <u>동사</u> <u>주어</u>   <u>수식어(부사구)</u>

④ 2형식 문장 – 2형식 문장은 [주어+동사+주격보어]로 이루어진 문장입니다.

2형식은 동사 다음에 명사나 혹은 형용사가 나와 주어의 신분이나 상태를 나타내는 문장 형식입니다.

2형식의 대표적인 동사는 be동사, become, get과 같은 동사가 있습니다.

She is tall. 그녀는 키가 크다. (주어의 상태)
주어 동사 주격보어

She is a doctor. 그녀는 의사다. (주어의 신분)
주어 동사 주격보어

He became a doctor. 그는 의사가 되었다.
주어 동사 주격보어

He got tired. 그는 피곤해졌다.
주어 동사 주격보어

⑤ 감각동사 – feel, smell, look, sound, taste 등의 감각동사 다음에 형용사가 오면 2형식 문장입니다.

The cake looks delicious. 그 케이크는 맛있어 보인다.
　주어　　　동사　　주격보어

It tastes sweet. 그것은 맛이 달다.
주어 동사　　주격보어

Guide

영어 문장은 주어, 동사, 목적어, 보어로 구성되어 있습니다.

1 다음 각 문장의 밑줄에 알맞은 문장의 구성요소를 쓰세요.

01 They are in the museum. 그들은 박물관에 있다.
　주어 동사　　수식어

02 The leaves turned yellow. 그 잎들은 노란색이 되었다.

03 My brother studies in the library. 내 동생은 도서관에서 공부한다.

04 His plan looks simple. 그의 계획은 단순해 보인다.

05 There is a fork on the table. 테이블 위에 포크가 있다.

06 Cathy became a scientist. 캐시는 과학자가 되었다.

WORDS

museum 박물관　leaf 나뭇잎　turn 변하다　study 공부하다　library 도서관　plan 계획
simple 간단한　fork 포크　become 되다　scientist 과학자

1 다음 문장의 형식에 동그라미 하세요.

01 You look very happy today.
너는 오늘 매우 행복해 보인다.

1형식 / (2형식)

02 My favorite subject is music.
내가 좋아하는 과목은 음악이다.

1형식 / 2형식

03 She sings well.
그녀는 노래를 잘 부른다.

1형식 / 2형식

04 His uncle is a movie director.
그의 삼촌은 영화 감독이다.

1형식 / 2형식

05 He cried in the room.
그는 방에서 울었다.

1형식 / 2형식

06 The pizza tastes delicious.
피자는 맛있다.

1형식 / 2형식

07 He laughed loudly.
그는 큰 소리로 웃었다

1형식 / 2형식

08 Mike is very kind.
마이크는 매우 친절하다.

1형식 / 2형식

09 The sun sets in the west.
해는 서쪽으로 진다.

1형식 / 2형식

10 We were busy yesterday.
우리는 어제 바빴다.

1형식 / 2형식

11 I go to school every day.
나는 매일 학교에 간다.

1형식 / 2형식

12 The taxi arrived at the hotel.
그 택시는 호텔에 도착했다.

1형식 / 2형식

WORDS

today 오늘 favorite 좋아하는 subject 과목 music 음악 movie 영화 director 감독 cry 울다
delicious 맛있는 laugh 웃다 loudly 큰 소리로 set 지다 west 서쪽 busy 바쁜 arrive 도착하다

Practice 3

Guide

2형식 문장은 [주어+동사+주격보어]로 이루어진 문장입니다.

1 다음 밑줄 친 부분의 문장 구성 요소와 문장의 형식을 쓰세요.

	문장 구성 요소	문장 형식
01 My mom became very <u>weak</u>. 나의 엄마는 매우 약해지셨다.	(주격)보어	2형식
02 This pizza smells <u>good</u>. 이 피자가 냄새가 좋다.		
03 She works <u>hard</u>. 그녀는 열심히 일한다.		
04 The vegetables look <u>fresh</u>. 그 야채들은 신선해 보인다.		
05 She is <u>a famous musician</u>. 그녀는 유명한 음악가이다.		
06 There are <u>two girls</u> in the room. 방에 두 명의 소녀가 있다.		
07 The boy became <u>a singer</u>. 그 소년은 가수가 되었다.		
08 She walks <u>slowly</u>. 그녀는 천천히 걷는다.		
09 My friends <u>are</u> in the gym. 나의 친구들은 체육관에 있다.		
10 His name is <u>David</u>. 그의 이름은 데이비드다.		
11 The movie is very <u>boring</u>. 그 영화는 매우 지루하다.		
12 She went <u>to the market</u> yesterday. 그녀는 어제 시장에 갔다.		

WORDS

weak 약한 **hard** 열심히 **vegetable** 야채 **fresh** 신선한 **famous** 유명한 **musician** 음악가
singer 가수 **slowly** 천천히 **gym** 체육관 **boring** 지루한 **market** 시장

Chapter 02

문장의 5형식 Ⅱ - 3형식/4형식 문장

본문 강의

 3형식 문장 – [주어+동사+목적어]로 이루어진 형태의 문장을 의미합니다.

3형식 문장의 목적어로 명사, 동명사, to부정사가 올 수 있습니다.

• **목적어로 명사가 쓰임**

My brother likes pizza. 내 남동생은 피자를 좋아한다.
주어　　　　동사　　목적어

Ted learns English at school. 테드는 학교에서 영어를 배운다.
주어　　동사　　목적어　　　수식어

• **목적어로 동명사가 쓰임**

They enjoy watching TV. 그들은 TV 시청하는 것을 즐긴다.
주어　　동사　　목적어

We like playing computer games. 우리는 컴퓨터 게임하는 것을 좋아한다.
주어　동사　　　　목적어

• **목적어로 to부정사가 쓰임**

I want to eat pizza. 나는 피자를 먹기를 원한다.
주어　동사　　목적어

We decided to sell the car. 우리는 자동차를 팔기로 결정했다.
주어　　동사　　　목적어

② **4형식 문장** – [주어+수여동사+간접목적어+직접목적어]로 이루어진 형태의 문장을 의미합니다.

I sent him some roses. 나는 그에게 장미를 좀 보냈다.
주어　동사　간접목적어　직접목적어

She showed me her watch. 그녀는 내게 그녀의 시계를 보여주었다.
주어　　동사　　간접목적어　직접목적어

Tips 수여동사란 말 그대로 '~을 수여하다'라는 의미를 가진 동사를 말합니다. 문장이 수여동사를 가진다고 해서 모두 4형식 문장이 되는 것은 아닙니다. 수여동사와 함께 반드시 간접목적어와 직접목적어가 있어야 4형식 문장이 성립됩니다. 수여동사에는 give(주다), send(보내다), buy(사다), make(만들다), show(보여주다), teach(가르치다), ask(묻다) 등이 있습니다.

③ **4형식 문장을 3형식 문장으로 바꾸어 쓰기**

간접목적어와 직접목적어의 위치를 바꿔 4형식 문장을 3형식 문장으로 바꾸어 쓸 수 있습니다.

이때, 동사에 따라 간접목적어 앞에 전치사 to, for 중 하나를 써야 합니다.

4형식:	주어	+	동사	+	간접목적어 사람(~에게)	+	직접목적어 사물(~을)

3형식:	주어	+	동사	+	목적어	+	to/for/of + 간접목적어

He **gave** me some money. [4형식] 그는 내게 돈을 좀 주었다.
→ He **gave** some money to me. [3형식]

She **bought** me cheese sandwiches. [4형식] 그녀는 나에게 치즈 샌드위치를 사줬다.
→ She **bought** cheese sandwiches for me. [3형식]

Tips to를 쓰는 동사: give, tell, send, teach, show, write, lend 등
for를 쓰는 동사: make, buy, cook, find 등

Practice 1

Guide
3형식 문장은 [주어+동사+목적어]의 형태입니다.

1 다음 문장에서 목적어와 각 문장의 형식을 쓰세요. (2개인 경우 2개 모두 쓰세요.)

	목적어	문장 형식
01 I bought some apples yesterday.	some apples	3형식
02 My sister helps my mother.		
03 The man opened the door.		
04 The boy gave her a pencil.		
05 Alice made us pasta.		
06 I made a toy robot last night.		
07 My dad bought me a bicycle.		

WORDS

yesterday 어제 help 돕다 open 열다 pasta 파스타 toy 장난감 robot 로봇 bicycle 자전거

Practice **2**

1 다음 4형식 문장을 3형식 문장으로 바꿔 쓰세요.

01 She gave me some flowers.
→ _____ She gave some flowers to me. _____

02 He taught her math.
→ _____

03 I made him pizza.
→ _____

04 She bought her son a cap.
→ _____

05 Sara showed me her watch.
→ _____

06 Did you send her a Christms card?
→ _____

07 I will give you a birthday present.
→ _____

08 My dad found me my glasses.
→ _____

09 He teaches us English.
→ _____

10 My father sent me a card last week.
→ _____

11 She cooked him dinner.
→ _____

12 Cathy wrote him a letter.
→ _____

WORDS

flower 꽃　taught 가르치다(teach)의 과거형　math 수학　bought 사다(buy)의 과거형　show 보여주다

ask 묻다　difficult 어려운　present 선물　glasses 안경　sent 보내다(send)의 과거형　letter 편지

Guide

4형식 문장을 3형식 문장으로 바꿔 쓸 수 있습니다.

1 다음 우리말과 일치하도록 주어진 단어를 바르게 배열하여 문장을 완성하세요.

01 나는 친구들에게 내 방을 보여줬다. (I / my room / to / showed / my friends)

→   I showed my room to my friends.

02 나의 엄마는 나에게 멋진 선물을 사줬다. (bought / my mom / for / a nice gift / me)

→ _____

03 그녀는 나에게 이상한 질문을 했다. (asked / me / a strange question / she)

→ _____

04 나의 삼촌은 그들에게 영어를 가르치신다. (them / teaches / English / my uncle)

→ _____

05 샘은 그의 엄마께 생일 카드를 쓸 것이다. (a birthday card / will write / his mom / Sam)

→ _____

2 다음 빈칸에 알맞은 전치사를 쓰고 우리말로 해석하세요.

01 He gave his gloves ____to____ me.

→   그는 나에게 그의 장갑을 줬다.

02 I will buy a bicycle _____ him.

→ _____

03 She sends an email _____ him every day.

→ _____

04 Cathy showed her pictures _____ them.

→ _____

05 I made a kite _____ my sister.

→ _____

WORDS

show 보여주다   **gift** 선물   **ask** 묻다   **strange** 이상한   **question** 질문   **birthday** 생일   **write** 쓰다
glove 장갑   **send** 보내다   **email** 이메일   **picture** 사진   **kite** 연

본문 강의

 5형식 문장 – [주어+동사+목적어+목적격보어]로 이루어진 형태의 문장을 의미합니다.

5형식 문장의 특징은 목적어를 보충 설명하는 목적격보어가 있는 것입니다. 목적격보어는 명사, 형용사, 동사 등으로 표현할 수 있습니다.

I saw her. 나는 그녀를 보았다. (3형식)
주어 동사 목적어

I saw her cross the street. 나는 그녀가 길을 건너는 것을 보았다. (5형식)
주어 동사 목적어   목적격보어   ※ cross the street(길을 건너다)이 목적어 her를 보충 설명하고 있습니다.

· **목적격보어가 명사**

We call him a walking dictionary. 우리는 그를 걸어다니는 사전이라고 부른다.
주어 동사 목적어   목적격보어

He made her a pianist. 그는 그녀를 피아니스트로 만들었다.
주어 동사 목적어 목적격보어

· **목적격보어가 형용사**

She made me happy. 그녀는 나를 행복하게 만들었다.
주어 동사 목적어 목적격보어

He kept his son warm. 그는 그의 아들을 따듯하게 했다.
주어 동사 목적어 목적격보어

· **목적격보어가 동사원형 또는 동사+-ing**

see, watch, hear 등이 동사로 쓰일 때 목적격보어로 동사원형 또는 [동사+-ing]가 올 수 있습니다.

He saw her read a newspaper. 그는 그녀가 신문을 읽는 것을 보았다.
주어 동사 목적어   목적격보어

She heard her son singing. 그녀는 그녀의 아들이 노래하는 것을 들었다.
주어 동사 목적어 목적격보어

Tips 4형식 문장과 5형식 문장 구별하기

4형식 문장	5형식 문장
[주어+동사+목적어(사람)+목적어(사물)]	[주어+동사+목적어(사람)+목적격보어]
He made his daughter a doll.	He made his daughter a lawyer.
그는 딸에게 인형을 만들어줬다.	그는 딸을 변호사로 만들었다.
※ his daughter ≠ a doll	※ his daughter = a lawyer

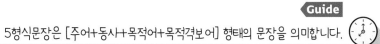

Guide

5형식문장은 [주어+동사+목적어+목적격보어] 형태의 문장을 의미합니다.

1 다음 문장이 해당하는 문장 형식에 ○표 하세요.

	4형식	5형식

01 I made my parents happy.   ○(5형식)
나는 나의 부모님을 행복하게 만들었다.

02 He will make me a toy robot.
그는 나에게 장난감 로봇을 만들어줄 것이다.

03 He sent me some money.
그는 내게 돈을 좀 보냈다.

04 I saw his family eat dinner at a restaurant.
나는 그의 가족이 식당에서 저녁식사하는 것을 보았다.

05 This medicine will make you healthy.
이 약은 너를 건강하게 만들 것이다.

06 My father bought my mother a ring.
나의 아버지는 어머니에게 반지를 사주셨다.

07 We found his story true.
우리는 그의 이야기가 사실이라는 것을 알았다.

08 My mother made me dinner.
나의 어머니는 내게 저녁식사를 만들어주셨다.

09 She made my birthday special.
그녀는 나의 생일을 특별하게 만들어줬다.

10 Cathy saw the thief run away.
캐시는 도둑이 도망가는 것을 보았다.

11 Dad made me get up early.
아빠는 내가 일찍 일어나게 만들었다.

12 I saw him swimming in the pool.
나는 그가 수영장에서 수영하는 것을 보았다.

WORDS

parents 부모 money 돈 family 가족 restaurant 식당 medicine 약 healthy 건강한
ring 반지 story 이야기 true 사실인 special 특별한 thief 도둑 get up 일어나다 pool 수영장

Practice **2**

Guide

5형식 문장의 특징은 목적어를 보충 설명하는 목적격보어가 있는 것입니다.

1 다음 문장을 우리말로 해석하고 목적어와 목적격보어를 쓰세요.

	목적어	목적격보어

01 He called me a liar.

→ _____그는 나를 거짓말쟁이로 불렀다._____   me   a liar

02 I heard her crying.

→ _____

03 He makes me smile.

→ _____

04 My mother makes me swim regularly.

→ _____

05 The sweater made her warm.

→ _____

06 It keeps the water hot for a long time.

→ _____

07 The teacher made the classroom clean.

→ _____

08 The boy made his mother angry.

→ _____

09 The boys made the wall dirty.

→ _____

10 Exercise keeps her healthy.

→ _____

11 I saw him break the window.

→ _____

12 The interview made her nervous.

→ _____

WORDS

call 부르다   **liar** 거짓말쟁이   **smile** 미소 짓다   **regularly** 규칙적으로   **sweater** 스웨터   **keep** 유지하다

angry 화난   **wall** 벽   **dirty** 더러운   **exercise** 운동   **break** 깨뜨리다   **interview** 면접   **nervous** 긴장한

목적격보어는 명사, 형용사, 동사, +o부정사 등으로 표현할 수 있습니다.

1 다음 괄호 안에서 알맞은 것을 고르세요.

01 I made my friends ((happy)/ happily).
나는 나의 친구들을 행복하게 만들었다.

02 Please keep your children (quiet / quietly).
당신의 자녀들을 조용히 시켜주세요.

03 This food will keep you (health / healthy).
이 음식은 너를 건강하게 유지할 것이다.

04 I saw Alice (dance / to dance).
나는 앨리스가 춤추는 것을 보았다.

05 The movie made us (sad / sadly).
그 영화는 우리를 슬프게 만들었다.

2 다음 우리말과 일치하도록 주어진 단어를 배열하여 5형식 문장을 완성하세요.

01 우리는 그 시험이 어렵다는 것을 알게 되었다. (found / difficult / the test / we)
→ _____We found the test difficult._____

02 그녀는 그녀의 개를 맥스라고 부른다. (her dog / she / Max / calls)
→ _____

03 나는 그가 정직하다고 생각했다. (thought / I / him / honest)
→ _____

04 그들은 그녀를 바쁘게 만들었다. (busy / made / they / her)
→ _____

05 이 코트가 너를 따뜻하게 해줄 것이다. (warm / this coat / will / keep / you)
→ _____

WORDS

quiet 조용한 food 음식 health 건강 movie 영화 difficult 어려운 test 시험 call 부르다

thought 생각하다(think)의 과거형 honest 정직한 busy 바쁜 warm 따듯한 coat 코트 keep 유지하다

Chapter 04 by 이외의 수동태

 수동태의 형태

수동태는 일반적으로 [주어+be동사+과거분사+by+행위자]의 형태로 이루어지나 [by+행위자]가 아닌 다른 전치사가 붙는 중요한 표현들이 있습니다.

This book **was written by** him.
이 책은 그에 의해 쓰였다.

This book **was written in** English.
이 책은 영어로 쓰였다.

 전치사 in이 쓰인 경우

be interested in	~에 관심이 있다	She **is interested in** science. 그녀는 과학에 관심이 있다.
be located in + 장소	~에 위치되어 있다	The hotel **is located in** the center of the city. 그 호텔은 도시의 중심부에 위치해 있다.
be written in + 언어	~로 쓰여 있다	The novel **was written in** French. 그 소설은 프랑스어로 쓰였다.
be made in + 장소	~에서 만들어지다	These cameras **were made in** China. 이 카메라들은 중국에서 만들어졌다.

③ 전치사 with가 쓰인 경우

be covered with	~로 덮이다	The road **is covered with** snow. 그 도로는 눈으로 덮여져 있다.
be crowded with	~로 붐비다	The park **is crowded with** children. 그 공원은 아이들로 붐빈다.
be filled with	~로 가득 차다	His room **is filled with** books. 그의 방은 책들로 가득 차 있다.
be pleased with	~에 기뻐하다	She **was** very **pleased with** her performance. 그녀는 자신의 공연에 매우 기뻐했다.
be satisfied with	~에 만족하다	He **was satisfied with** his test results. 그는 시험 결과에 만족했다.

④ 기타 전치사

be worried about	～에 대해 걱정하다	She **is worried about** her son. 그녀는 그녀의 아들에 대해 걱정한다.
be surprised at	～에 놀라다	I **was surprised at** his answer. 나는 그의 대답에 놀랐다.
be tired of	～에 싫증 나다 ～에 지치다	We **are tired of** living in the city. 우리는 도시에 사는 것에 싫증이 난다.

Practice 1

Guide

[by+행위자]가 아닌 다른 전치사가 붙는 수동태 표현들이 있습니다.

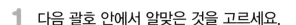

1 다음 괄호 안에서 알맞은 것을 고르세요.

01 Were you surprised (at / in / with) the news?
너는 그 소식에 놀랐니?

02 These computers are made (at / in / with) Korea.
이 컴퓨터들은 한국에서 만들어진다.

03 These books are written (at / of / in) Chinese.
이 책들은 중국어로 쓰여 있다.

04 The market was crowded (at / in / with) people.
그 시장은 사람들로 붐볐다.

05 The hotel is located (of / in / with) the heart of the city.
그 호텔은 도시 중심부에 위치해 있다.

06 She is worried (about / in / with) my health.
그녀는 나의 건강에 대해 걱정한다.

07 Two-thirds of the Earth's surface is covered (about / in / with) water.
지구 표면의 3분의 2는 물로 덮여 있다.

08 I am tired (about / in / of) the same questions.
나는 똑같은 질문들에 싫증이 난다.

09 Are you satisfied (about / in / with) your job?
너는 너의 직업에 만족하니?

WORDS

surprise 놀라게 하다　news 뉴스　crowded 붐비는　people 사람들　locate 위치하다　heart 중심

worried 걱정되는　Earth 지구　surface 표면　cover 덮다　tired 싫증 난　satisfied 만족한

1 다음 우리말과 일치하도록 빈칸에 알맞은 것을 쓰세요.

01 I am interested ____in____ music.
나는 음악에 관심이 있다.

02 The walls were covered _____ pictures.
그 벽들에는 온통 그림이 걸려 있었다.

03 These cars are made _____ Germany.
이 자동차들은 독일에서 만들어진다.

04 The box is filled _____ sand.
그 상자는 모래로 가득 차 있다.

05 In the winter, the mountain is crowded _____ skiers.
겨울에 그 산은 스키어들로 붐빈다.

06 We were surprised _____ his answer.
우리는 그의 대답에 놀랐다.

07 Sam is worried _____ the weather.
샘은 날씨에 대해 걱정한다.

08 His books are written _____ English.
그의 책들은 영어로 쓰여 있다.

09 She is tired _____ singing.
그녀는 노래하는 것에 싫증이 난다.

10 I am not satisfied _____ my test results.
나는 나의 시험 결과에 만족하지 않는다.

11 The street was covered _____ fallen leaves.
그 거리는 낙엽으로 덮여 있었다.

12 He was pleased _____ my success.
그는 나의 성공에 기뻐했다.

WORDS
be interested in ~에 관심 있다 **wall** 벽 **Germany** 독일 **be filled with** ~으로 가득 차다
sand 모래 **mountain** 산 **answer** 답 **weather** 날씨 **result** 결과 **street** 거리 **pleased** 기쁜

Guide
수동태에 [by+행위자]가 아닌 표현들은 외워야 합니다.

1 다음 우리말과 일치하도록 보기 단어를 이용하여 문장을 완성하세요.

> filled   interested   satisfied   tired   worried

01 The room ＿＿＿is filled with＿＿＿ toys.
그 방은 장난감으로 가득 차 있다.

02 Amy ＿＿＿＿＿＿＿＿＿ Korean culture.
에이미는 한국 문화에 관심이 있다.

03 My uncle ＿＿＿＿＿＿＿＿＿ the job interview.
나의 삼촌은 채용면접에 대해 걱정한다.

04 My friends ＿＿＿＿＿＿＿＿＿ my food.
나의 친구들은 나의 음식에 만족했다.

05 I ＿＿＿＿＿＿＿＿＿ doing my homework every day.
나는 매일 숙제하는 것에 싫증이 난다.

2 다음 밑줄 친 부분을 바르게 고치세요.

01 The hotel is crowded at guests.   →   ＿is crowded with＿
그 호텔은 손님들도 붐빈다.

02 This novel was written in James.   →   ＿＿＿＿＿＿
이 소설은 제임스에 의해 쓰였다.

03 The books are covered of dirt.   →   ＿＿＿＿＿＿
그 책들이 먼지로 덮여있다.

04 He was pleased at his son's success.   →   ＿＿＿＿＿＿
그는 아들의 성공에 기뻐했다.

05 They were surprised with my decision.   →   ＿＿＿＿＿＿
그들은 나의 결정에 놀랐다.

WORDS

toy 장난감   culture 문화   job interview 채용면접   food 음식   do one's homework 숙제하다

a lot of 많은   **guest** 손님   **novel** 소설   **dirt** 먼지   **success** 성공   **decision** 결정

공부한 날 :　　　　　부모님 확인 :

01> 다음 중 문장이 바른 것을 고르세요.

① He looks happily.
② Jane seems happy.
③ The train is lately.
④ Everything became clearly.
⑤ We go school every day.

【02~03】 다음 중 <u>어색한</u> 문장을 고르세요.

02> ① He is a teacher.
② It tastes better.
③ Your puppy feels angrily.
④ The sun rises in the east.
⑤ Your brother looks lonely.

03> ① She sounds sadly.
② It tastes good.
③ She looks friendly.
④ I feel good.
⑤ The food smells wonderful.

04> 다음 중 2형식 문장을 고르세요.

① I like talking with him.
② She is wearing a beautiful dress.
③ We saw them singing.
④ Tomorrow is my birthday.
⑤ He bought me a cake.

05> 다음 중 1형식 문장을 고르세요.

① He looks sad.
② She likes carrots.
③ Cathy is a student.
④ She sings well.
⑤ He gave me a pencil.

06> 다음 중 3형식 문장을 고르세요.

① There is a book on the desk.
② She likes reading books.
③ They look busy today.
④ I feel good today.
⑤ This is not my bag.

07> 다음 중 4형식 문장을 고르세요.

① I gave Jane the book.
② She gave it to me.
③ He gave up smoking last week.
④ I ran to the station.
⑤ She made some delicious food.

08> 다음 중 빈칸에 공통으로 알맞은 것을 고르세요.

• The pasta smells _____ .
• You look _____ today.

① sad　　② well　　③ bright
④ lovely　　⑤ good

【09~10】 다음 중 밑줄 친 부분이 바르지 <u>않은</u> 것을 고르세요.

09> ① You looked <u>strangely</u> today.
② The meat smelled <u>bad</u>.
③ The song sounds <u>beautiful</u>.
④ Peter felt <u>tired</u> yesterday.
⑤ They lived <u>happily</u> for a long time.

10> ① That dog looks <u>friendly</u>.
② The soup smells <u>delicious</u>.
③ That music sounds <u>lovely</u>.
④ This dress feels <u>soft</u>.
⑤ You look <u>happily</u> today.

【11~12】 다음 중 어색한 문장을 고르세요.

11> ① My dad gave some money to me.
② He teaches English for them.
③ Show it to your friends.
④ She sent me a card last week.
⑤ He bought a bag for her.

12> ① I write him a letter once a month.
② Please give me a cup of coffee.
③ I will teach them music.
④ Will you buy me that camera?
⑤ I sent some flowers for Alice.

13> 다음 중 빈칸에 알맞은 말이 바르게 짝지어진 것을 고르세요.

- He made dinner _____ me.
- She gave a cap _____ me.

① for - of
② of - to
③ for - for
④ to - to
⑤ for - to

【14~15】 다음 중 빈칸에 들어갈 말이 나머지와 <u>다른</u> 것을 고르세요.

14> ① He gave some flowers _____ her.
② I will buy a bicycle _____ him.
③ She sent an email _____ him.
④ Show your pictures _____ me.
⑤ He said a funny story _____ me.

15> ① Ted showed his watch _____ me.
② Please send the letter _____ Jake.
③ She will cook dinner _____ us.
④ She gave a kite _____ me.
⑤ Jane wrote a birthday card _____ her.

【16~19】 다음 중 보기의 문장과 형식이 같은 문장을 고르세요.

16>
The cat is on the table.

① This is a carrot.
② I like playing soccer.
③ James forgot my name.
④ She took many pictures yesterday.
⑤ There is a bakery next to the bank.

17>
Jamie looks sad.

① I talked with him yesterday.
② She is wearing shorts.
③ We helped them find the building.
④ Today is Jack's birthday.
⑤ He showed me the way to the museum.

18>
I like pizza.

① The apple pie tastes delicious.
② My friends like swimming.
③ They saw him running to the park.
④ He goes to the museum every day.
⑤ My mom gave me some coins.

19>
He called me a liar.

① She bought me a computer.
② The boy became a scientist.
③ They have lunch at noon.
④ He makes me happy.
⑤ Amy was busy yesterday.

【20~22】다음 중 빈칸에 알맞은 것을 고르세요.

20>
The book was written _____ Korean.

① in   ② by   ③ to
④ of   ⑤ with

21>
We were surprised _____ the news.

① at   ② on   ③ to
④ of   ⑤ with

22>
The road is covered _____ snow.

① at   ② by   ③ to
④ of   ⑤ with

23> 다음 중 빈칸에 올 수 <u>없는</u> 말을 고르세요.

He made me _____.

① a musician   ② happy
③ busy   ④ a chair
⑤ buying

【24~26】다음 그림을 보고 빈칸에 알맞은 전치사를 쓰세요.

24>

The bookcase is filled _____ books. 책장은 책들로 가득 차 있다.

→ _____

25>

The museum is located _____
the center of the city.
그 박물관은 도시 중심에 위치해 있다.

→ _____

26>

The computer was made _____
Korea. 그 컴퓨터는 한국에서 만들어졌다.

→ _____

27> 다음 중 문장의 형식이 <u>다른</u> 하나를 고르세요.

① I asked him a question.
② My father cooked me pasta.
③ They gave her some cheese.
④ He called his dog Max.
⑤ She bought him a cellphone.

28> 다음 우리말과 일치하도록 주어진 단어를 배열하세요.

나는 그가 커피 마시는 것을 보았다.
(I / coffee / saw / drinking / him)

→ _____

【29~30】 다음 보기처럼 3형식 문장으로 바꾸세요.

He gave me a book.

→ _____He gave a book to me._____

29>

My dad bought me a desk.

→ _____

30>

She made me a dress.

→ _____

본문 강의

① to부정사의 의미와 쓰임

to부정사란 [to+동사원형] 형태로 문장 안에서, 명사·형용사·부사의 역할을 할 수 있습니다.
여기에서의 부정(不定)은 정해지지 않았다는 의미로 to부정사는 쓰임이 정해지지 않았기 때문에,
모양은 같아도 문장 안에서 다양한 역할(명사·형용사·부사)을 할 수 있습니다.

② to부정사의 명사 역할

[to+동사원형]이 명사의 역할을 하여 문장에서 주어, 목적어 또는 보어 자리에 올 수
있습니다.

주어 역할 (문장의 맨 앞에 위치하며, '~하는 것은'으로 해석합니다.)	**To play** baseball is fun. 야구하는 것은 재밌다. **To take** pictures is my hobby. 사진 찍는 것이 나의 취미다.
목적어 역할 (일반동사 뒤에 위치하고, '~하는 것을'로 해석합니다.)	I want **to play** baseball. 나는 야구 하기를 원한다. We planned **to go** to the museum. 우리는 박물관에 갈 것을 계획했다.
보어 역할 (주로 be동사 뒤에 위치하여 주어에 대한 보충 설명을 하며, '~하는 것이다'로 해석합니다.)	My dream is **to become** an actor. 나의 꿈은 배우가 되는 것이다. His job is **to teach** English. 그의 직업은 영어를 가르치는 것이다.

> **Tips** to부정사의 부정형을 만들 때에는 not을 [to+동사원형] 앞에 씁니다.
> He decided not to play computer games. 그는 컴퓨터 게임을 하지 않기로 결심했다.

③ to부정사의 형용사 역할

[to+동사원형]이 형용사 역할을 하여 명사나 대명사를 꾸며줍니다. 이때 to부정사는 명사나 대명사를
뒤에서 꾸며주며 '~할', '~하는' 등으로 해석합니다.

명사 수식 (명사 뒤에서 명사를 수식)	I have a lot of things **to do**. 나는 해야 할 일이 많다. I don't have time **to help** you. 나는 너를 도와 줄 시간이 없다.
대명사 수식 (something, nothing, anything, someone, anyone + to 동사원형)	I need something **to eat**. 나는 먹을 뭔가가 필요하다. I have nothing **to drink**. 나는 마실 것이 하나도 없다.

④ 명사 + to 동사원형 + 전치사

to부정사가 형용사 역할을 할 때 전치사와 함께 하는 경우가 있습니다.

명사 + to 동사원형 + 전치사	She needs a house **to live in**. 그녀는 살 집이 필요하다. ※ live in a house → a house to live in I want a chair **to sit on**. 나는 앉을 의자를 원한다. ※ sit on a chair → a chair to sit on

Tips 반드시 전치사를 붙여야 하는 경우: to부정사가 수식하는 명사를 전치사 다음에 써보면 왜 전치사가 필요한지 알 수 있습니다.

a chair to sit on (sit on a chair)	앉을 의자	a pen to write with (write with a pen)	쓸 펜
a house to live in (live in a house)	살 집	someone to play with (play with someone)	함께 놀 사람

Guide

to부정사는 문장 안에서 명사, 형용사, 부사의 역할을 할 수 있습니다.

1 다음 밑줄 친 to부정사가 어떤 역할을 하는지 고르세요.

01 His job is <u>to sell</u> cars.
그의 직업은 자동차를 판매하는 것이다.
(명사)/ 형용사

02 Please give me something <u>to eat</u>.
먹을 것을 좀 주세요.
명사 / 형용사

03 He decided <u>to stop</u> smoking.
그는 금연하기로 결심했다.
명사 / 형용사

04 I like <u>to talk</u> with my friends.
나는 친구들과 얘기하는 것을 좋아한다.
명사 / 형용사

05 We have nothing <u>to do</u> today.
우리는 오늘 할 일이 없다.
명사 / 형용사

06 James planned <u>to visit</u> Seoul next month.
제임스는 다음 달 서울 방문을 계획했다.
명사 / 형용사

07 I don't want <u>to watch</u> the movie.
나는 그 영화 보는 것을 원하지 않는다.
명사 / 형용사

08 I need a pencil <u>to write</u> with.
나는 쓸 연필이 필요하다.
명사 / 형용사

WORDS

sell 팔다 **something** 무언가 **decide** 결정하다 **smoking** 흡연 **nothing** 아무것 **plan** 계획하다
visit 방문하다 **month** 월, 달 **movie** 영화 **need** 필요하다 **write** 쓰다

Guide 명사 역할을 하는 to부정사는 주어, 목적어 또는 보어 자리에 올 수 있습니다.

1 다음 우리말과 일치하도록 주어진 단어를 이용하여 빈칸에 알맞은 to부정사를 쓰세요.

take	spend	get up	give	study
learn	wash	have	go	talk

01 I don't have time ___to take___ a shower.
나는 샤워할 시간이 없다.

02 He decided _____ early in the morning.
그는 아침에 일찍 일어나기로 결심했다.

03 I need someone _____ to.
나는 이야기 나눌 누군가가 필요하다.

04 He wants _____ pizza for lunch.
그는 점심으로 피자를 먹기를 원한다.

05 It's time _____ to bed.
잠 잘 시간이다.

06 Her plan is _____ the New Year's holiday in Korea.
그녀의 계획은 새해 연휴를 한국에서 보내는 것이다.

07 We have no money _____ you.
우리는 너에게 줄 돈이 없다.

08 I have a plan _____ abroad in Canada.
나는 캐나다에서 유학할 계획이 있다.

09 _____ foreign languages is important.
외국어를 배우는 것은 중요하다.

10 I like _____ the dishes.
나는 설거지하는 것을 좋아한다.

WORDS

shower 샤워 decide 결정하다 in the morning 아침에 someone 누군가 plan 계획
holiday 휴일 money 돈 abroad 해외에 foreign 외국의 language 언어 important 중요한

Practice 3

+o부정사가 형용사 역할을 할 때 전치사와 함께 하는 경우가 있습니다.

1 다음 to부정사의 역할을 고르고, 영어를 우리말로 쓰세요.

01 I have a lot of things <u>to do</u> today.
→ _____ 나는 오늘 할 일이 많다. _____
명사 / (형용사)

02 He has no friends <u>to play</u> with.
→ _____
명사 / 형용사

03 I like <u>to ride</u> a bicycle.
→ _____
명사 / 형용사

04 He hoped <u>to win</u> the first prize at the speech contest.
→ _____
명사 / 형용사

05 <u>To ride</u> a horse is fun.
→ _____
명사 / 형용사

06 I need a book <u>to read</u>.
→ _____
명사 / 형용사

07 My mom decided <u>to buy</u> a new car.
→ _____
명사 / 형용사

08 <u>To walk</u> the dog every day is my job.
→ _____
명사 / 형용사

09 I don't have money <u>to buy</u> a computer.
→ _____
명사 / 형용사

10 Amy needs someone <u>to help</u> her.
→ _____
명사 / 형용사

11 I would like <u>to drink</u> soda.
→ _____
명사 / 형용사

12 She doesn't like <u>to wear</u> a mask.
→ _____
명사 / 형용사

WORDS

a lot of 많은 **thing** 것, 일 **today** 오늘 **bicycle** 자전거 **hope** 바라다 **win** 이기다 **speech** 말하기
contest 대회 **horse** 말 **walk** 산책시키다 **someone** 누군가 **would like to** ~하고 싶다 **mask** 마스크

Chapter 06 to부정사의 용법 Ⅱ – 부사 역할

본문 강의

① to부정사가 부사의 역할을 하는 경우

부사는 문장에서 동사, 형용사, 그리고 부사를 수식하여 문장의 내용을 좀 더 풍부하게 하는 역할을 합니다. to부정사도 이처럼 내용을 풍부하게 하는 부사의 역할을 할 수 있습니다. to부정사가 부사의 역할을 할 때에는 그 쓰임에 따라 목적, 원인 등으로 구별할 수 있습니다.

I went to the store **to buy** cheese. 나는 치즈를 사려고 상점에 갔다. (목적)

I am glad **to see** you. 나는 너를 보게 돼서 기쁘다. (원인)

> **Tips** to buy나 to see는 주어나 목적어, 보어가 아니므로 명사 역할을 하지 않고 있으며, 또 앞에 있는 명사를 꾸미지도 않으므로 형용사 역할도 하지 않습니다. 이럴 때 쓰인 [to+동사원형]은 부사의 역할을 하며 '부사적 용법'이라고 말합니다.

② to부정사의 부사 역할 – 목적

to부정사가 부사 역할을 하면서 '~하기 위해서', '~하려고'라고 해석되면 '목적'을 표현합니다.
to부정사가 부사 역할을 할 때에는 주로 문장의 뒤쪽에 위치합니다.

목적 (~하기 위해서, ~하려고)	He went to the market **to buy** some vegetables. 그는 야채를 좀 사려고 시장에 갔다. I went home **to take** a rest. 나는 휴식하기 위해 집에 갔다.

③ to부정사의 부사 역할 – 원인

to부정사가 주로 감정형용사 뒤에 위치하여 '~해서'라고 해석되면 '원인'을 표현하기 위한 것입니다.

감정의 원인 (~해서)	I'm very happy **to meet** you again. 나는 너를 다시 만나서 매우 행복하다. She was disappointed **to fail** the exam. 그녀는 그 시험에서 떨어져서 실망했다.

> **Tips** 감정 형용사에는 happy(행복한), glad(기쁜), pleased(기쁜), disappointed(실망한), surprised(놀란), sorry(미안한), sad(슬픈) 등이 있습니다.

Practice 1

Guide

to부정사는 내용을 풍부하게 하는 부사의 역할을 할 수 있습니다.

1 다음 문장에서 밑줄 친 to부정사의 부사 역할을 고르세요.

01 I am glad <u>to meet</u> you.
나는 너를 만나서 기쁘다.

목적 / (원인)

02 I am happy <u>to be</u> with her.
나는 그녀와 함께 있어서 행복하다.

목적 / 원인

03 She cleaned the oven <u>to bake</u> some cookies.
그녀는 쿠키를 좀 굽기 위해 오븐을 청소했다.

목적 / 원인

04 I studied hard <u>to pass</u> the exam.
나는 시험에 통과하기 위해 열심히 공부했다.

목적 / 원인

05 I'm sorry <u>to hear</u> that.
그것을 듣게 되어서 유감이다.

목적 / 원인

06 She will go to the post office <u>to send</u> a letter.
그녀는 편지를 부치기 위해 우체국에 갈 것이다.

목적 / 원인

07 I went to the library <u>to return</u> the books.
나는 책을 반납하기 위해 도서관에 갔다.

목적 / 원인

08 She went to a bakery <u>to buy</u> some bread.
그녀는 빵을 좀 사기 위해 제과점에 갔다.

목적 / 원인

09 Paul came to Korea <u>to meet</u> his uncle.
폴은 삼촌을 만나기 위해 한국에 왔다.

목적 / 원인

10 I am sad <u>to see</u> you leave.
나는 네가 떠나게 돼서 슬프다.

목적 / 원인

11 He was excited <u>to watch</u> the baseball game.
그는 야구경기를 보게 되어서 신이 났다.

목적 / 원인

12 He went to Canada <u>to study</u> English.
그는 영어를 공부하기 위해 캐나다에 갔다.

목적 / 원인

WORDS

glad 기쁜   meet 만나다   clean 청소하다   bake 굽다   pass 통과하다   exam 시험   hear 듣다
post office 우체국   letter 편지   return 반납하다   bread 빵   leave 떠나다   excited 신이 난   game 경기

Guide

+o부정사가 그 쓰임에 따라 목적, 원인 등의 부사 역할을 할 수 있습니다.

1 다음 우리말과 일치하도록 주어진 단어를 이용하여 빈칸에 알맞은 to부정사를 쓰세요.

visit	win	lose	catch	buy
hear	practice	trouble	fail	lose

01 She went to London _____to visit_____ her uncle.
그녀는 삼촌을 방문하기 위해 런던에 갔다.

02 She doesn't eat dinner _____ weight.
그녀는 살을 빼기 위해 저녁식사를 하지 않는다.

03 He went to the market _____ some apples.
그는 사과를 좀 사기 위해 시장에 갔다.

04 She came home early _____ the piano.
그녀는 피아노를 연습하기 위해 집에 일찍 왔다.

05 He got up early _____ the first train.
그는 첫 기차를 타기 위해 일찍 일어났다.

06 They were so happy _____ the finals.
그들은 결승전에서 승리해서 매우 행복했다.

07 I was so disappointed _____ the test.
나는 그 시험에 떨어져 매우 실망했다.

08 He was sad _____ the game.
그는 경기에 져서 슬펐다.

09 I'm sorry _____ you.
폐를 끼쳐서 죄송합니다.

10 She was surprised _____ the news.
그녀는 그 소식을 듣고서 놀랐다.

WORDS

London 런던 **weight** 몸무게 **market** 시장 **early** 일찍 **get up** 일어나다 **first** 첫 번째
final 결승전 **disappointed** 실망한 **test** 시험 **surprised** 놀란 **news** 소식

Practice 3

Guide

to부정사가 주로 감정형용사 뒤에서 '원인'을 표현할 수 있습니다.

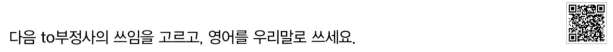

1 다음 to부정사의 쓰임을 고르고, 영어를 우리말로 쓰세요.

01 I'm saving money to buy a new computer.

→ _____ 나는 새 컴퓨터를 사기 위해 돈을 모으고 있다. (목적)/ 원인

02 I'm sorry to be late for school.

→ _____ 목적 / 원인

03 We came here to listen to her songs.

→ _____ 목적 / 원인

04 I go jogging every day to lose weight.

→ _____ 목적 / 원인

05 He bought some flowers to give to his wife.

→ _____ 목적 / 원인

06 Jane studied hard to pass the math test.

→ _____ 목적 / 원인

07 Everybody was surprised to know the truth.

→ _____ 목적 / 원인

08 He is going to the library to borrow books.

→ _____ 목적 / 원인

09 Amy was glad to have dinner with John.

→ _____ 목적 / 원인

10 We are pleased to hear the news.

→ _____ 목적 / 원인

11 She went to the café to meet her mom.

→ _____ 목적 / 원인

12 David was sad to lose his watch.

→ _____ 목적 / 원인

WORDS

save 모으다　late 늦은　listen 듣다　song 노래　lose weight 살을 빼다　wife 아내
everybody 모든 사람들　truth 진실　borrow 빌리다　glad 기쁜　meet 만나다　lose 잃어버리다

Chapter 07

to부정사와 동명사

1 to부정사와 동명사가 주어일 때

주어로 사용된 동명사와 to부정사는 의미가 같아서 서로 바꿔 쓸 수 있습니다.

Riding a bicycle is exciting. 자전거를 타는 것은 재미있다.
= **To ride** a bicycle is exciting.

2 to부정사와 동명사가 주격보어일 때

주격보어로 사용된 동명사와 to부정사는 의미가 같아서 서로 바꿔 쓸 수 있습니다.

Your job is **washing** the dishes. 너의 일은 설거지를 하는 것이다.
= Your job is **to wash** the dishes.

> Tips to부정사와 동명사는 명사 역할을 할 수 있기 때문에 주어, 목적어, 보어 자리에 올 수 있습니다.

3 to부정사를 목적어로 취하는 동사 – 다음 동사 다음에는 [to+동사원형]의 형태가 옵니다.

want 원하다 **hope** 희망하다 **plan** 계획하다 **decide** 결정하다 **expect** 기대하다 **promise** 약속하다

Sam **planned** to take a vacation next week. 샘은 다음 주에 휴가를 가기로 계획했다.

My dad **decided** to lose weight. 나의 아빠는 살을 빼기로 결심했다.

4 동명사를 목적어로 취하는 동사 – 다음 동사 다음에는 [동사+-ing] 형태의 동명사가 옵니다.

finish 마치다 **enjoy** 즐기다 **mind** 꺼려하다 **give up** 포기하다 **avoid** 피하다 **keep** 유지하다

The baby **kept** crying until her mom came home.
그 아기는 엄마가 집에 올 때까지 계속 울었다.
He **enjoys** watching baseball games on TV.
그는 TV로 야구 경기 시청하는 것을 즐긴다.

5 동명사 혹은 to부정사 둘 다 목적어로 취하는 동사

love 사랑하다 **like** 좋아하다 **begin** 시작하다 **start** 시작하다 **hate** 싫어하다 **continue** 계속하다

It **began** to rain. = It **began** raining. 비가 내리기 시작했다.

She **continued** to cry. = She **continued** crying. 그녀는 계속해서 울었다.

6 의미가 달라지는 동사 – stop, forget, remember

동사 stop, forget, remember 뒤에는 동명사 또는 to부정사가 올 수 있는데, 각각 쓰임과 의미가 다르기 때문에 주의해야 합니다.

stop + to부정사 (~하기 위해 멈추다)	I stopped **to drink** some water. 나는 물을 마시기 위해 멈췄다.	
stop + 동명사 (~하기를 멈추다)	I stopped **drinking** water before bed. 나는 자기 전에 물을 마시는 것을 멈췄다.	
forget + to부정사 (~해야 하는 것을 잊다)	I forgot **to send** you the email. 나는 너에게 그 이메일을 보내야 하는 것을 잊었다.	→ 아직 안 한 행동
forget + 동명사 (~했던 것을 잊다)	I forgot **sending** you the email. 나는 너에게 그 이메일을 보냈다는 것을 잊었다.	→ 이미 한 행동
remember + to부정사 (~해야 하는 것을 기억하다)	I'll remember **to send** you a postcard. 나는 너에게 엽서를 보내야 하는 것을 기억할 것이다.	→ 아직 안 한 행동
remember + 동명사 (~했던 것을 기억하다)	I remember **sending** you a postcard last year. 나는 작년에 너에게 엽서를 보냈던 것을 기억한다.	→ 이미 한 행동

Practice 1

Guide
to부정사만을 목적어로 취하는 동사가 있습니다.

1 다음 빈칸에 알맞은 것을 고르세요. (정답이 두 개 일 수 있습니다.)

01 It continued ((to snow) / to snowing) until late at night.
밤늦게까지 계속 눈이 왔다.

02 He gave up (to learn / learning) English.
그는 영어 배우는 것을 포기했다.

03 Do you remember (to meet / meeting) her last year?
너는 작년에 그녀를 만났던 것을 기억하니?

04 My goal is (to save / saving) money to buy a computer.
나의 목표는 컴퓨터를 사기 위해 돈을 모으는 것이다.

05 They want (to listen / listening) to music.
그들은 음악을 듣기를 원한다.

06 She finished (to write / writing) her report.
그녀는 보고서 쓰는 것을 끝냈다.

WORDS

continue 계속하다 **until** ~까지 **at night** 밤에 **give up** 포기하다 **remember** 기억하다

goal 목표 **save** 모으다 **money** 돈 **listen to music** 음악을 듣다 **finish** 끝내다 **write** 쓰다 **report** 보고서

1 다음 두 문장의 의미가 같도록 빈칸에 알맞은 것을 쓰세요.

01 She began to run after the thief.

→ She _____ began running after the thief _____ .

02 He continued working for a long time.

→ He continued _____ .

03 To play computer games is a waste of time.

→ _____ is a waste of time.

04 He hates to sing in front of people.

→ He hates _____ .

05 Her job is to teach English.

→ Her job is _____ .

2 다음 우리말과 일치하도록 주어진 단어를 고쳐 쓰세요.

01 샘은 오후 8시 이후 TV 보는 것을 멈췄다. (watch)

→ Sam stopped _____ watching _____ TV after 8 p.m.

02 집에 가는 길에 우유를 사는 것을 잊지 마라. (buy)

→ Don't forget _____ milk on your way home.

03 나는 문 잠가야 하는 것을 잊었다. (lock)

→ I forgot _____ the door.

04 전에 나를 봤던 것을 기억하니? (see)

→ Do you remember _____ me before?

05 우리는 물을 마시기 위해 멈췄다. (drink)

→ We stopped _____ water.

WORDS

began 시작하다(begin)의 과거형 **run after** 쫓다 **thief** 도둑 **continue** 계속하다 **waste** 낭비
hate 싫어하다 **in front of** ~의 앞에 **forget** 잊다 **on one's way** 도중에 **lock** 잠그다 **remember** 기억하다

Practice 3

동명사 혹은 to부정사 둘 다 목적어로 취하는 동사도 있습니다.

1 다음 밑줄 친 부분을 바르게 고치세요. (고칠 필요 없는 곳에는 ○표 하세요.)

01 Do you enjoy <u>to ride</u> a horse? → ___riding___
너는 승마를 즐기니?

02 I decided <u>visiting</u> New York this winter. → _____
나는 이번 겨울에 뉴욕을 방문하기로 결정했다.

03 Do you mind <u>to open</u> the window? → _____
창문을 열어도 되겠습니까?

04 She avoided <u>to meet</u> her friends. → _____
그녀는 그녀의 친구들을 만나는 것을 피했다.

05 I love <u>to jogging</u> in the morning. → _____
나는 아침에 조깅하는 것을 좋아한다.

06 He gave up <u>to smoke</u> last month. → _____
그는 지난달에 담배 피우는 것을 포기했다.

07 She wants <u>buying</u> a cake for them. → _____
그녀는 그들에게 케이크를 사주기를 원한다.

08 My plan is <u>to buying</u> a new piano. → _____
나의 계획은 새로운 피아노를 사는 것이다.

09 My father forgot <u>sending</u> the parcel. → _____
나의 아버지는 소포 보내는 것을 잊으셨다.

10 <u>To travel</u> around the world is my dream. → _____
전 세계 여행을 하는 것이 나의 꿈이다.

11 They finished <u>to paint</u> the wall. → _____
그들은 벽을 칠하는 것을 마쳤다.

12 His dream is <u>to become</u> a pilot. → _____
그의 꿈은 비행기 조종사가 되는 것이다.

WORDS

enjoy 즐기다　decide 결정하다　winter 겨울　mind 꺼리다　avoid 피하다　give up 포기하다
smoke 담배 피우다　forgot 잊다(forget)의 과거형　parcel 소포　dream 꿈　finish 마치다　pilot 비행기 조종사

Chapter 08 동명사와 현재분사

 1 동명사와 현재분사의 쓰임

동명사와 현재분사는 둘 다 [동사원형+-ing]로 같은 형태를 갖지만, 의미와 쓰임이 다르므로 구별할 수 있어야 합니다. 동명사는 명사 역할을 하는 반면, 현재분사는 형용사 역할을 합니다.

My job is **selling** cars. (동명사) 나의 직업은 자동차를 판매하는 것이다.

Do you know the man **selling** apples? (현재분사) 너는 사과를 판매하는 남자를 아니?

2 동명사의 역할

동명사는 문장 안에서 주어, 목적어, 보어로 사용될 수 있으며, '~하는 것'으로 해석됩니다.

주어 역할	**Playing** baseball is fun. 야구를 하는 것은 재미있다.
목적어 역할	Jack enjoys **watching** movies. 잭은 영화 보는 것을 즐긴다. ※ 특정 동사(finish / enjoy / keep 등) 다음에만 동명사가 목적어로 옵니다
보어 역할	My dream is **buying** a big house for my family. 나의 꿈은 나의 가족을 위해 큰 집을 사는 것이다.
전치사의 목적어	I'm interested in **growing** plants. 나는 식물을 재배하는 것에 관심이 있다.

> **Tips** 동명사는 '~하는 것'이라는 의미로 명사의 역할을 하고 있으며, 현재분사는 '~하는 중인'이라는 의미로 현재진행형의 느낌을 강하게 가지고 있습니다.

 3 현재분사의 역할

현재분사는 형용사 역할을 하여 명사를 앞이나 뒤에서 수식하거나 보어로 사용될 수 있으며, 진행시제에도 사용됩니다.

앞에서 명사 수식	The **singing** girl is my friend. 그 노래하는 소녀는 나의 친구다.
뒤에서 명사 수식	I like the girl **singing** over there. 나는 저쪽에서 노래하는 소녀를 좋아한다.
보어 역할	The computer game is **boring**. 그 컴퓨터 게임은 지루하다. (주격보어) I saw him **playing** the guitar. 나는 그가 기타 치는 것을 보았다. (목적격보어)
진행형	I am **listening** to music now. 나는 지금 음악을 듣고 있다.

> **Tips** 현재분사가 뒤에 목적어나 수식어구 등과 함께 할 때에는 명사를 뒤에서 수식합니다.

동명사는 명사 역할을 하는 반면, 현재분사는 형용사 역할을 합니다.

1 다음 밑줄 친 것이 동명사인지 현재분사인지 고르세요.

01 I like <u>making</u> cookies.
나는 쿠키 만드는 것을 좋아한다.

(동명사)　　현재분사

02 She is <u>talking</u> to Smith.
그녀는 스미스에게 얘기하고 있다.

동명사　　현재분사

03 This book is very <u>interesting</u>.
이 책은 매우 흥미롭다.

동명사　　현재분사

04 <u>Playing</u> soccer is always fun.
축구하는 것은 언제나 재미있다.

동명사　　현재분사

05 Jack finished <u>doing</u> his homework.
잭은 숙제하는 것을 마쳤다.

동명사　　현재분사

06 His dream is <u>becoming</u> a cook.
그의 꿈은 요리사가 되는 것이다.

동명사　　현재분사

07 I'm <u>washing</u> the dishes.
나는 설거지를 하고 있다.

동명사　　현재분사

08 Look at those <u>falling</u> leaves!
저 떨어지는 나뭇잎들을 보아라!

동명사　　현재분사

09 I like <u>swimming</u> in the sea.
나는 바다에서 수영하는 것을 좋아한다.

동명사　　현재분사

10 She saw him <u>listening</u> to music.
그녀는 그가 음악을 듣고 있는 것을 보았다.

동명사　　현재분사

11 I am proud of <u>living</u> in Korea.
나는 한국에서 사는 것이 자랑스럽다.

동명사　　현재분사

12 Do you know the girl <u>walking</u> the dog?
너는 개를 산책시키고 있는 소녀를 아니?

동명사　　현재분사

WORDS

cookie 쿠키　interesting 재미있는　always 언제나　homework 숙제　dream 꿈　cook 요리사

leaf 나뭇잎　sea 바다　music 음악　be proud of ~이 자랑스럽다　know 알다　walk 산책시키다

Practice **2**

Guide
현재분사는 형용사 역할을 하여 명사를 앞이나 뒤에서 수식합니다.

1 다음 영어를 우리말로 쓰세요.

01 a sleeping baby   ⟶   잠자는 아기

02 a rolling stone   ⟶

03 a boring movie   ⟶

04 a burning house   ⟶

05 shocking news   ⟶

06 a barking dog   ⟶

07 the girls crossing the street   ⟶

08 the students studying in the library   ⟶

09 the cat sleeping on the sofa   ⟶

10 the woman working at the bank   ⟶

11 the bird sitting on the tree   ⟶

12 the woman reading a magazine   ⟶

13 the nurse taking care of patients   ⟶

14 the man washing the dishes   ⟶

15 the dog barking at me   ⟶

WORDS

rolling 구르는   stone 돌   boring 지루한   burning 불타는   shocking 놀라운   street 길

library 도서관   magazine 잡지   nurse 간호사   take care of ~을 돌보다   patient 환자   barking 짖는

Guide

동명사는 주어, 목적어, 보어로 사용될 수 있으며, '~하는 것'으로 해석됩니다.

1 다음 영어를 우리말로 쓰세요.

01 I like cooking.
   → _____ 나는 요리하는 것을 좋아한다.

02 My job is selling books.
   → _____

03 I like the girl playing the piano.
   → _____

04 The woman crossing the street is my mother.
   → _____

05 Look at the birds flying in the sky.
   → _____

06 Thank you for inviting me to the party.
   → _____

07 Smoking is not good for your health.
   → _____

08 Do you know that crying boy?
   → _____

09 The sleeping baby is lovely.
   → _____

10 She is good at speaking English.
   → _____

11 They are listening to the radio now.
   → _____

12 I saw him making pizza.
   → _____

WORDS

job 직업 **piano** 피아노 **cross** 건너다 **street** 길 **sky** 하늘 **invite** 초대하다 **health** 건강
lovely 사랑스러운 **be good at** ~을 잘하다 **radio** 라디오 **now** 지금 **saw** 보다(see)의 과거형

Review Test 2

공부한 날 :　　　　　　부모님 확인 :

【01~02】 다음 중 보기의 밑줄 친 부분과 그 쓰임이 같은 것을 고르세요.

01>

Would you like something to drink?

① I want to make a lot of friends.
② I'm happy to see you.
③ He went to the park to meet his mother.
④ My dream is to master English.
⑤ I gave her a book to read.

02>

Jack enjoys watching movies.

① He is sleeping in the living room.
② I like collecting stamps.
③ His nickname is flying pig.
④ I know the man swimming over there.
⑤ I'm going to church now.

【03~04】 다음 중 밑줄 친 부분의 쓰임이 다른 것을 고르세요.

03> ① I always take a book to read.
② We have nothing to drink.
③ There are many places to see in London.
④ Jane likes to read cartoons.
⑤ She has some important people to meet.

04> ① His job is to sell flowers.
② He decided to stop smoking.
③ I don't want to watch the movie.
④ Jane likes to play soccer.
⑤ I don't have time to take a shower.

【05~06】 다음 중 빈칸에 알맞은 것을 고르세요.

05>

I need a pencil to write _____ .
나는 쓸 연필이 필요하다.

① with　　② on　　③ in
④ to　　⑤ out

06>

He went to America _____ English. 그는 영어를 배우기 위해 미국에 갔다.

① learned　　② to learn
③ to learning　　④ learn
⑤ learning

【07~08】 다음 중 우리말을 영어로 바르게 쓴 것을 고르세요.

07>

나는 자동차를 살 돈이 없다.

① I don't have money buy a car.
② I don't have money buying a car.
③ I don't have money to buy a car.
④ I don't have money to buying a car.
⑤ I don't have money bought a car.

08>

그는 살 집이 필요하다.

① He needs a house to live on.
② He needs a house to live in.
③ He needs a house to live with.
④ He needs a house to live to.
⑤ He needs a house to live for.

【09~10】 다음 빈칸에 주어진 단어를 알맞은 형태로 쓰세요.

09>

buy

I went to the store _____ cheese.
나는 치즈를 사려고 상점에 갔다.

→ _____

10>

meet

I'm glad _____ you.
나는 너를 만나서 기쁘다.

→ _____

【11~12】 다음 중 빈칸에 어울리지 <u>않는</u> 것을 고르세요.

11>

She _____ to go hiking this weekend.

① gave up   ② wanted
③ liked   ④ decided
⑤ planned

12>

Cathy _____ playing the guitar.

① enjoys   ② wanted
③ stopped   ④ liked
⑤ minded

【13~14】 다음 중 보기의 밑줄 친 부분과 그 쓰임이 같은 것을 고르세요.

13>

I studied hard <u>to pass</u> the exam.

① I want <u>to meet</u> a lot of friends.
② I'm happy <u>to see</u> you.
③ I went to the café <u>to meet</u> my friend.
④ My dream is <u>to become</u> a singer.
⑤ I borrowed her a book <u>to read</u>.

14>

He was sad <u>to lose</u> the game.

① I want <u>to be</u> a doctor.
② I have a lot of things <u>to do</u>.
③ I'm happy <u>to hear</u> the news.
④ I went out <u>to meet</u> my friend.
⑤ He wants something <u>to eat</u>.

【15~16】 다음 중 우리말을 영어로 바르게 쓴 것을 고르세요.

15>

우리는 사진을 찍기 위해 걸음을 멈추었다.

① We stopped taking pictures.
② We stopped to take pictures.
③ We stopped to taking pictures.
④ We stopped take pictures.
⑤ We stopped taken pictures.

16 >

그는 영어를 배우기로 약속했다.

① He promised learn English.
② He promised learning English.
③ He promised to learning English.
④ He promised to learn English.
⑤ He promised learned English.

【17~19】 다음 빈칸에 주어진 단어를 알맞은 형태로 쓰세요.

17 > turn off

Don't forget _____ the light.
전등 끄는 것을 잊지 마라.

→ _____

18 > take

He stopped _____ a walk because he got tired.
그는 피곤해서 산책하는 것을 그만뒀다.

→ _____

19 > cross

He saw a man _____ the street. 그는 한 남자가 길을 건너는 것을 보았다.

→ _____

【20~22】 다음 중 밑줄 친 부분의 쓰임이 다른 것을 고르세요.

20 > ① Playing computer games is exciting.
② My hobby is playing computer games.
③ They are playing computer games.
④ The topic is playing computer games.
⑤ I like playing computer games.

21 > ① Seeing is believing.
② Playing baseball is my life.
③ My dad likes watching horror movies.
④ Look at the man singing on stage.
⑤ Every Sunday, Jane enjoys riding a bicycle.

22 > ① My sister is running along the beach.
② I hate taking a test.
③ Do you know the girl walking the dog?
④ Look at the birds flying in the sky.
⑤ The boy reading a book is my son.

23> 다음 중 빈칸에 알맞은 것을 고르세요.

The man _____ the car is my
dad. 세차하는 남자는 나의 아빠다.

① wash   ② to washing
③ to wash   ④ to washed
⑤ washing

24> 다음 중 빈칸에 공통으로 알맞은 것을 고르세요.

• Jane has many friends to play
_____.
• Do you need a pen to write _____?

① on   ② to   ③ in
④ for   ⑤ with

25> 다음 중 빈칸에 알맞은 것을 고르세요.

He _____ singing in front of
others.

① wanted   ② promised
③ remembered   ④ planned
⑤ wished

26> 다음 중 밑줄 친 to의 쓰임이 다른 것을 고르세요.

① Suddenly it started to rain.
② He walked to school every day.
③ I have nothing to eat today.
④ The singer continued to sing.
⑤ Do you have anything to drink?

27> 다음 영어를 우리말로 쓰세요.

I went to the park to walk my dog.

→ _____

【28~30】 다음 밑줄 친 부분을 바르게 고치세요.

28> I don't remember to see him
before.
나는 전에 그를 만났던 것을 기억하지 못한다.

→ _____

29> She stopped eating meat losing
weight.
그는 살을 빼기 위해 고기 먹는 것을 멈췄다.

→ _____

30> 다음 우리말과 일치하도록 주어진 단어를 바르게
배열하세요.

(to music / listening / the boy)
너는 음악을 듣고 있는 소년을 아니?

→ Do you know _____

_____?

Chapter 09 현재완료 I – 완료/결과

본문 강의

1 현재완료의 의미

현재완료란 [주어+have[has]+과거분사]의 형태를 취하여, 과거에 일어난 일이 현재까지 계속해서 이어져 현재와 관련이 있다는 것을 표현할 때 사용합니다.

현재완료

have[has]+과거분사

과거   현재   미래

It **rained** yesterday. (과거) 어제 비가 왔다.

It **has rained** since yesterday. (현재완료)
어제부터 비가 내리고 있다. – 지금도 비가 내리고 있음

주어 (I / they / we / 복수명사)	They **have lived** in Korea for 3 years. 그들은 3년 동안 한국에 살고 있다. ※ 3년 전부터 지금까지 살고 있다.
주어가 3인칭 단수 (he / she / it 등)	She **has gone** to Korea. 그녀는 한국에 갔다. ※ 그래서 이곳에 없다.

> **Tips** 현재완료는 축약해서 사용할 수 있습니다.
> I have = I've   We have = We've   He has = He's   She has = She's   It has = It's

2 현재완료의 쓰임 – 완료

현재완료는 쓰임에 따라 완료, 결과, 경험, 계속으로 분류하여 사용할 수 있습니다. 여기서는 먼저 완료와 결과의 쓰임에 대해 알아보겠습니다. 먼저 '완료'란 과거에 시작한 일을 지금 막 마쳤거나 최근에 완료했을 때 사용하는 표현입니다.

완료(방금 막 ~했다) ※ just 사용	I **have just finished** my homework. 나는 막 숙제를 끝냈다. They **have just read** the letter. 그들은 막 편지를 읽었다.
완료(이미 ~했다) ※ already 사용	We **have already met** her. 우리는 이미 그녀를 만났다. I **have had** tea **already**. 나는 이미 차를 마셨다.

> **Tips** 현재완료 시제는 과거 어느 시점에서 시작된 일이 지금까지 영향을 미칠 때 사용합니다.
>
>
> 과거   현재   미래

3 현재완료의 쓰임 – 결과

'결과'란 과거에 일어난 일이 현재까지 영향을 미치고 있음을 나타내는 경우에 사용합니다. 예를 들어, 내가 어제 지갑을 잃어버렸고 현재까지 찾지 못하고 있을 경우 현재완료의 결과로 표현해야 합니다.

결과	I **have lost** my wallet. 나는 지갑을 잃어버렸다. ※ 그래서 지금 지갑이 없다. Tom **has gone** to Korea. 톰은 한국에 갔다. ※ 그래서 지금 여기 없다.

Tips 현재완료의 결과에 자주 사용하는 표현

have/has gone+장소	~에 갔다 (그래서 지금 여기 없다.)	have/has forgotten+이름	~을 잊었다 (그래서 지금 기억이 나지 않는다.)
have/has lost+물건	~을 잃어버렸다 (그래서 지금 없다.)	have/has left+물건	~을 두고 왔다 (그래서 지금 여기 없다.)

Practice 1

Guide
현재완료란 [주어+have[has]+과거분사]의 형태입니다.

1 다음 우리말과 일치하도록 주어진 단어를 이용하여 현재완료 문장으로 쓰세요.

01 The train ____has____ just ____arrived____. (arrive)
그 기차가 막 도착했다.

02 The spring _____ _____. (come)
봄이 왔다. (그래서 지금 봄이다.)

03 Jim _____ _____ to Canada. (go)
짐은 캐나다에 갔다. (그래서 지금 이곳에 없다.)

04 He _____ just _____ from Seoul. (depart)
그는 막 서울에서 출발했다.

05 I _____ already _____ dinner. (have)
나는 이미 저녁을 먹었다.

06 She _____ _____ her watch. (lose)
그녀는 시계를 잃어버렸다. (그래서 지금 시계가 없다.)

07 I _____ _____ her name. (forget)
나는 그녀의 이름을 잊었다. (그래서 지금 기억이 나지 않는다.)

WORDS

train 기차 just 막 arrive 도착하다 spring 봄 Canada 캐나다 depart 출발하다 already 이미
lose 잃어버리다 name 이름 forget 잊다

Guide
과거에 일어난 일이 현재까지 계속 이어질 때 현재완료를 사용합니다.

1 다음 보기에 단어를 이용하여 현재완료 문장으로 빈칸에 쓰세요.

finish	break	go	read	leave
wash	find	arrive	lose	have

01 I have already _____finished_____ my homework.
나는 이미 숙제를 마쳤다.

02 She has just _____ the letter.
그녀는 막 편지를 읽었다.

03 I have _____ my cellphone at home.
나는 휴대전화를 집에 두고 왔다. (그래서 지금 휴대전화가 없다.)

04 He has _____ his dog.
그는 그의 개를 잃어버렸다. (그래서 지금 개가 없다.)

05 We've already _____ dinner.
우리는 이미 저녁식사를 했다.

06 Sam has _____ the dishes.
샘이 설거지를 했다. (그래서 설거지가 되어 있다.)

07 David has _____ his wallet.
데이비드는 그의 지갑을 찾았다. (그래서 지금 지갑이 있다.)

08 Sara has just _____ at the airport.
사라가 막 공항에 도착했다.

09 They have _____ to Seoul.
그들은 서울에 갔다. (그래서 지금 이곳에 없다.)

10 She has _____ the window.
그녀는 그 창문을 깼다. (그래서 지금 창문이 깨져 있다.)

WORDS
break 깨뜨리다 leave 떠나다 arrive 도착하다 already 이미 homework 숙제 letter 편지
cellphone 휴대전화 dinner 저녁식사 wallet 지갑 airport 공항 Seoul 서울 window 창문

Practice 3

Guide

현재완료는 쓰임에 따라 완료, 결과, 경험, 계속으로 사용할 수 있습니다.

1 다음 영어를 우리말로 쓰세요.

01 She has already finished lunch.

→ _____ 그녀는 이미 점심식사를 마쳤다. _____

02 Spring has come.

→ _____

03 She has just come home.

→ _____

04 I have already spent four years in England.

→ _____

05 He has just played the piano.

→ _____

2 다음 우리말과 일치하도록 주어진 단어를 배열하세요.

01 나의 아빠는 새 컴퓨터를 샀다. (bought / has / a / new computer / my dad)

→ _____ My dad has bought a new computer. _____

02 누군가가 나의 자리에 앉았다. (has / my / taken / seat / someone)

→ _____

03 그 영화가 막 끝났다. (the movie / ended / has / just)

→ _____

04 그는 가방을 기차에 두고 내렸다. (he / his / bag / has / left / on the train)

→ _____

05 그녀는 막 서울에 도착했다. (has / she / in Seoul / just / arrived)

→ _____

WORDS

finish 마치다 lunch 점심식사 spring 봄 spend 보내다 England 영국 bought 사다(buy)의 과거형
seat 자리 someone 누군가 movie 영화 end 끝나다 left 떠나다(leave)의 과거형 arrive 도착하다

Chapter 10 현재완료 Ⅱ – 경험/계속

 현재완료의 쓰임

현재완료의 쓰임에는 완료, 결과 이외에 과거부터 현재까지의 '경험'을 나타낼 수도 있고, 과거부터
현재까지의 어떤 동작이나 상태가 '계속' 이어지는 것을 표현할 수 있습니다.

I **have been** to Canada. 나는 캐나다에 가본 적이 있다. (경험)

I **have studied** English for two years. 나는 2년 동안 영어공부를 하고 있다. (계속)

 현재완료의 쓰임 – 경험

과거부터 현재까지의 경험이나 경험의 횟수를 표현하며, 주로 ever, never, before, once, twice,
three times 등과 함께 사용합니다.

~해 본 적 있다	I **have seen** this movie. 나는 이 영화를 본 적이 있다.
경험의 횟수	I **have seen** this movie three times. 나는 이 영화를 세 번 봤다.
한 번도 ~이 없다	She **has never seen** a tiger. 그녀는 한 번도 호랑이를 본 적이 없다.
~에 가본 적이 있다	I **have been** to Canada. 나는 캐나다에 가본 적이 있다.

> **Tips** '~에 가본 적이 있다'라고 할 때에는 have/has gone이 아니고 have/has been을 사용해야 한다는 것을 반드시 기억하세요!
> They have gone to Canada. 그들은 캐나다에 갔다. (그래서 지금 여기에 없다.)
> They have been to Canada. 그들은 캐나다에 가본 적이 있다.

③ 현재완료의 쓰임 – 계속

과거에 시작된 어떤 행동이나 상태가 현재까지 계속되고 있음을 표현하며, 주로 for, since 등과 함께
사용합니다.

~ 동안 계속 ~하다 (for + 지속된 기간)	It has rained **for five hours**. 5시간 동안 비가 내리고 있다.
~이래로(부터) 계속 ~하다 (since + 시작 시점)	It has rained **since Monday**. 월요일부터 비가 내리고 있다.

> **Tips** since와 for의 쓰임
>
> | for + 기간 길이 | for three hours 3시간 동안
for two days 2일 동안 | for a week 일주일 동안
for three years 3년 동안 | |
> | --- | --- | --- | --- |
> | since + 과거 시점 | since yesterday 어제부터 | since 7 o'clock 7시부터 | since I was 10 내가 10살부터 |
> | | ※ since 다음에는 문장이 올 수도 있습니다. | | |

Practice 1

현재완료는 과거에서 현재까지의 경험이나 계속을 표현할 수 있습니다.

1 다음 문장에서 현재완료의 쓰임을 고르세요.

01 Amy has played the piano for five years.
에이미는 5년 동안 피아노를 연주해 왔다.
경험　（계속）

02 I have never been to Seoul.
나는 서울에 가본 적이 없다.
경험　계속

03 I have read the book three times.
나는 그 책을 세 번 읽었다.
경험　계속

04 She has played the guitar since she was ten.
그녀는 10살 때부터 기타를 연주해 왔다.
경험　계속

05 They have seen the painting before.
그들은 그 그림을 전에 본 적이 있다.
경험　계속

06 We have been to his concert once.
우리는 그의 음악회에 한 번 간 적이 있다.
경험　계속

07 We have been to China before.
우리는 전에 중국에 가본 적이 있다.
경험　계속

08 Have you ever eaten French food?
너는 프랑스 음식을 먹어본 적이 있니?
경험　계속

09 My brother has studied English for five years.
내 남동생은 5년 동안 영어공부를 하고 있다.
경험　계속

10 She has kept a diary for 10 years.
그녀는 10년 동안 일기를 써오고 있다.
경험　계속

11 We have been to the museum twice.
우리는 그 박물관에 두 번 가본 적이 있다.
경험　계속

12 It has rained since yesterday.
어제부터 비가 오고 있다.
경험　계속

WORDS

never 결코　**three times** 세 번　**guitar** 기타　**since** ~한 이후로　**before** 전에　**concert** 음악회
once 한 번　**China** 중국　**French** 프랑스의　**diary** 일기　**museum** 박물관　**twice** 두 번　**yesterday** 어제

Guide 현재완료 계속 용법은 주로 for, since 등과 함께 사용합니다.

1 다음 우리말과 일치하도록 빈칸에 알맞은 것을 쓰세요.

01 나는 2시간 동안 피아노를 치고 있다.

→ I have played the piano ____for____ two hours.

02 그녀는 지난해부터 중국어를 공부해 왔다.

→ She has studied Chinese _____ last year.

03 그는 10시간 동안 자고 있다.

→ He has slept _____ 10 hours.

04 우리는 2015년 이후부터 서로 알고 지낸다.

→ We have known each other _____ 2015.

05 그는 5년 동안 파리에 살고 있다.

→ He has lived in Paris _____ five years.

2 다음 밑줄 친 부분을 바르게 고치세요.

01 I has learn Japanese since I was young.
나는 어릴 때부터 일본어를 배우고 있다.

→ ____have learned____

02 He has gone to Canada before.
그는 전에 캐나다에 가본 적이 있다.

→ _____

03 She has took care of the cat since last month.
그녀는 지난달부터 그 고양이를 돌보고 있다.

→ _____

04 They have play soccer before.
그들은 전에 축구경기를 해본 적이 있다.

→ _____

05 Alice have never ate Korean food.
앨리스는 한국 음식을 먹어본 적이 없다.

→ _____

WORDS

hour 시간   **Chinese** 중국어   **slept** 자다(sleep)의 과거형   **each other** 서로   **Paris** 파리

Japanese 일본어   **young** 어린   **take care of** ~을 돌보다   **ate** 먹다(eat)의 과거형   **Korean food** 한국 음식

1 다음 영어를 우리말로 쓰세요.

01 I have lived in Korea since 2018.

→ _____나는 2018년부터 한국에서 살고 있다._____

02 We have known each other since childhood.

→ _____

03 I have had a headache since yesterday.

→ _____

04 She has watched TV for three hours.

→ _____

05 He has been to China four times.

→ _____

06 We have never traveled by train.

→ _____

07 I have seen the movie before.

→ _____

08 He has met her before.

→ _____

09 My mom has worked at the bank since 2010.

→ _____

10 She has cleaned the house for two hours.

→ _____

11 They have played computer games since 5 o'clock.

→ _____

12 I have never had Mexican food before.

→ _____

WORDS

since ~한 이후로 **each other** 서로 **childhood** 어린 시절 **headache** 두통 **hour** 시간
travel 여행하다 **before** 전에 **work** 일하다 **bank** 은행 **clean** 청소하다 **Mexican** 멕시코의

본문 강의

1 **현재완료 의문문** – have[has]를 문장 맨 앞으로 옮기고 문장 끝에 물음표를 붙입니다.

평서문 [주어+have[has]+과거분사 ~]	He **has been** to Canada. 그는 캐나다에 가본 적이 있다. They **have lived** there for a long time. 그들은 그곳에서 오랫동안 살고 있다.
의문문 [Have[Has]+주어+과거분사 ~?]	**Has** he **met** your parents? 그가 너의 부모님을 만난 적이 있니? **Have** they **lived** there for a long time? 그들은 그곳에 오랫동안 살고 있니?
의문문 – ever 사용 [Have[Has]+주어+ever +과거분사 ~?] ※ ever는 생략할 수 있습니다.	**Have** you **ever been** to Canada? (지금까지 살면서) 캐나다에 가본 적이 있니? **Have** you **ever met** a famous person? (지금까지 살면서) 유명한 사람을 만난 적이 있니?

> **Tips** ever는 부사로 '태어나서 지금까지'라는 의미입니다. ever가 있는 의문문에 대답할 때, never를 사용해서 답할 수 있습니다.
> A: Have you ever been to Canada? 캐나다에 가본 적이 있니?
> B: Yes, I have. 응, 있어. / No, I have never[not] been to Canada. 아니, 캐나다에 가본 적이 없어.

2 **의문사 How를 이용한 현재완료 의문문**

How long+have[has] +주어+과거분사 ~? (얼마나 오래 ~하고 있니?)	**How long have** you **lived** in Korea? 너는 얼마나 오랫동안 한국에 살고 있니? **How long have** you **practiced** the piano? 너는 얼마나 오랫동안 피아노 연습을 하고 있니?
How many times+ **have[has]+주어+과거분사 ~?** (얼마나 많이 ~했니?)	**How many times have** you **been** to Canada? 너는 얼마나 많이 캐나다에 가 보았니? **How many times have** you **watched** the movie? 너는 얼마나 많이 그 영화를 보았니?

> **Tips** 대답하기
> A: How long have you lived in Korea?　　　　B: I've lived in Korea for five years. 나는 5년 동안 한국에 살고 있어.
> A: How many times have you been to Canada?　　B: I've been to Canada three times. 나는 캐나다에 3번 가봤어.

3 **현재완료 부정문** – [have/has+not+과거분사]의 형태를 취하며, 축약형으로도 쓸 수 있습니다.

부정문 [주어+have/has+not+과거분사]	I **have not seen** Tom since lunch. 나는 점심식사 이후 톰을 보지 못했다. Sam **has not finished** his homework yet. 샘은 아직 숙제를 끝내지 못했다.

| 부정문 축약형
have not = haven't
has not = hasn't | They **haven't been** to Canada.
그들은 캐나다에 가본 적이 없다.
Ann **hasn't eaten** since yesterday.
앤은 어제 이후 먹지 못하고 있다. |

Tips   yet은 '아직'이란 의미로 부정문을 만들 때 문장 끝에 붙여 사용합니다.
I haven't received a letter from him yet. 난 그에게서 아직 편지를 받지 못했다.

Practice 1

Guide

현재완료 의문문은 have[has]를 문장 맨 앞으로 옮기고 물음표를 붙입니다.

1 다음 문장을 지시대로 의문문이나 부정문으로 바꾸세요.

01 He has lived here for a long time.

의문문   Has he lived here for a long time?

02 I have been to London.

부정문

03 He has met a famous singer.

의문문

04 He has met your parents.

의문문

05 I have watched TV since 1 o'clock.

부정문

06 She has studied English since May.

의문문

07 She has gone to the museum.

의문문

08 Sam has finished his homework. (yet을 사용하세요.)

부정문

09 You have worked here since 2015.

의문문

WORDS

live 살다   **for a long time** 오랫동안   **London** 런던   **famous** 유명한   **singer** 가수   **parents** 부모

study 공부하다   **museum** 박물관   **finish** 마치다   **homework** 숙제   **yet** 아직   **work** 일하다   **here** 여기

현재완료 부정문은 [have/has+not+과거분사]의 형태입니다.

1 다음 대화의 빈칸에 알맞은 것을 쓰세요.

01 A: _____How long_____ has she played the guitar?

　　B: She has played the guitar for three hours.

02 A: _____ has she studied English?

　　B: She has studied English since June.

03 A: _____ have you read the book?

　　B: I've read the book a hundred times.

04 A: _____ have you been to New York?

　　B: I've been there twice.

05 A: _____ has he worked here?

　　B: He has worked here for two months.

2 다음 영어를 우리말로 쓰세요.

01 I haven't packed my suitcase yet.

　→ _____난 아직 여행 가방을 다 못 쌌다._____

02 How long have you worked here?

　→ _____

03 How long has he known her?

　→ _____

04 Have you met her before?

　→ _____

05 She has not received your letter yet.

　→ _____

WORDS

play the guitar 기타를 치다　English 영어　June 6월　hundred 100, 백　New York 뉴욕

work 일하다　pack 짐을 싸다　suitcase 여행 가방　yet 아직　before 전에　receive 받다　letter 편지

Guide

의문사 How를 이용해서 현재완료 의문문을 만들 수 있습니다.

1 다음 우리말과 일치하도록 주어진 단어를 알맞게 배열하세요.

01 나는 파리에 가본 적이 없다. (have / to Paris / never / been)

→ I _____have never been to Paris_____ .

02 너는 그 호텔에 얼마나 오랫동안 머물고 있니? (long / have / how / stayed / you)

→ _____ at the hotel?

03 너는 얼마나 오랫동안 그곳에서 일하고 있니? (how / have / you / long / worked)

→ _____ there?

04 너는 지금까지 영화배우를 만난 적이 있니? (you / a movie star / ever / have / met)

→ _____ ?

05 나는 자원봉사를 한 적이 없다. (done / never / have / volunteer work)

→ I _____ .

06 그는 세 살 이후 삼촌을 본 적이 없다. (has / not / he / his uncle / seen / since)

→ _____ he was three.

07 너는 생선회를 얼마나 많이 먹어봤니? (have / how / you / eaten / many times)

→ _____ sushi?

08 그녀는 결혼한 적이 없다. (has / been / never / married)

→ She _____ .

09 그녀는 얼마나 오랫동안 프랑스어를 공부하고 있니? (has / she / how / studied / long)

→ _____ French?

10 그녀는 아직 그녀의 일을 끝내지 못했다. (has / yet / not / her work / finished)

→ She _____ .

11 너는 전에 한국 음식을 먹어본 적이 있니? (Korean food / you / have / had)

→ _____ before?

12 그들은 지난 2년 동안 피자를 먹어본 적이 없다. (for / not / had / they / pizza / have)

→ _____ the last two years.

WORDS

Paris 파리   **never** 결코   **stay** 머무르다   **movie star** 영화배우   **ever** 이전에   **volunteer** 자발적인
uncle 삼촌   **since** ~ 이후, ~ 이래   **marry** 결혼하다   **study** 공부하다   **Korean food** 한국 음식

본문 강의

 현재완료시제와 과거시제

현재완료시제는 과거와 현재를 모두 나타내고 있지만, 과거시제는 과거만을 나타내고 있습니다.
현재완료시제는 구체적인 과거를 나타내는 말(ago, yesterday, when)과 함께하지 않습니다.

과거시제	**I lost** my bag yesterday. 나는 어제 가방을 잃어버렸다. ※ 현재 가방을 찾았는지 아직도 잃어버린 상태인지 알 수 없습니다. It **rained** yesterday. 어제 비가 내렸다. ※ 현재도 비가 내리는지 알 수 없습니다.
현재완료시제	**I have lost** my bag. 나는 가방을 잃어버렸다. ※ 현재도 가방을 잃어버린 상태입니다. It **has rained** since yesterday. 어제부터 비가 내리고 있다. ※ 현재도 비가 내리고 있습니다.

I have met him **last week**. (X) ➡ I **met** him last week. 나는 그를 지난주에 만났다.

When have you met her? (X) ➡ When **did** you meet her? 너는 언제 그녀를 만났니?

I have learned English **in 2018**. (X) ➡ I **learned** English in 2018. 나는 2018년에 영어를 배웠다.

She has painted the door **yesterday**. (X) ➡ She **painted** the door yesterday.

그녀는 어제 문을 칠했다.
➡ She **has painted** the door since yesterday.
그녀는 어제부터 문을 칠하고 있다.

 since의 쓰임

since는 '~ 이후에', '~ 이후 지금까지 죽'의 의미로 전치사 또는 접속사로 사용할 수 있으며, 현재완료 문장에서는 since 다음에 구체적인 과거 표현이 올 수 있습니다. since를 접속사로 사용할 경우 과거시제와 함께 쓸 수 있습니다.

since - 전치사 (~ 이후에, ~ 이후 지금까지 죽)	I haven't seen her **since** last night. 나는 지난밤 이후 그녀를 보지 못했다. I have known him **since** childhood. 나는 그를 어린 시절부터 알고 지낸다.
since - 접속사 (~ 이후에, ~ 이후 지금까지 죽)	He has learned English **since** he was a child. 그는 어릴 적부터 죽 영어를 배우고 있다. I've lived here **since** I was ten. 나는 10살 때부터 여기에 살고 있다.

1 다음 괄호 안에서 알맞은 것을 고르세요.

01 She has just ((come) / came) back home.
그녀는 막 집에 돌아왔다.

02 I (learned / have learned) English since I was 10.
나는 10살 때부터 영어를 배우고 있다.

03 My brother (was / has been) sick yesterday.
내 남동생은 어제 아팠다.

04 Mike (visited / has visited) England last year.
마이크는 지난해 영국을 방문했다.

05 Have you ever (was / been) to America before?
너는 전에 미국에 가본 적이 있니?

06 I (didn't see / haven't seen) the movie last Sunday.
나는 지난 일요일에 그 영화를 보지 않았다.

07 I (finished / have finished) my homework two hours ago.
나는 2시간 전에 숙제를 마쳤다.

08 She (lost / has lost) her watch last week.
그녀는 지난주 시계를 잃어버렸다.

09 I (lived / have lived) here since last year.
나는 작년부터 이곳에 살고 있다.

10 Alice (knew / has known) him since childhood.
앨리스는 어린 시절부터 그를 알고 지낸다.

11 I (worked / have worked) at the café since 2018.
나는 2018년부터 그 카페에서 일하고 있다.

12 John (met / has met) his uncle in 2019.
존은 삼촌을 2019년도에 만났다.

WORDS

just 막 learn 배우다 sick 아픈 yesterday 어제 visit 방문하다 America 미국 movie 영화

ago 전에 week 주, 일주일 childhood 어린 시절 café 카페 met 만나다(meet)의 과거형 uncle 삼촌

Practice 2

1 다음 밑줄 친 부분을 바르게 고쳐 쓰세요.

01 He <u>has seen</u> the movie last week.

→ _____ He saw the movie last week.

02 We <u>have come</u> here yesterday.

→ _____

03 When <u>have you met</u> her?

→ _____

04 I <u>have told</u> her about the accident two hours ago.

→ _____

05 They have learned Japanese since they <u>are</u> young.

→ _____

06 He <u>has been</u> in Europe in 2020.

→ _____

07 I <u>didn't see</u> her since last month.

→ _____

08 It <u>rained</u> since last night.

→ _____

09 Mike <u>goes</u> to the store because he had nothing to eat.

→ _____

10 David <u>has lived</u> there three years ago.

→ _____

11 We <u>didn't eat</u> anything since yesterday.

→ _____

12 Susan <u>has bought</u> a new computer last week.

→ _____

WORDS

seen 보다(see)의 과거분사형   **here** 여기   **accident** 사고   **hour** 시간   **Japanese** 일본어   **young** 어린
Europe 유럽   **month** 달, 월   **night** 밤   **store** 상점   **because** 때문에   **nothing** 아무것   **year** 연, 해

Guide
현재완료시제에서는 since 다음에 구체적인 과거시제가 올 수 있습니다.

1 다음 주어진 단어를 이용하여 빈칸에 과거시제나 현재완료시제를 쓰세요.

01 I _____finished_____ my work two hours ago. (finish)
나는 두 시간 전에 일을 마쳤다

02 I _____ there since May. (live)
나는 5월부터 그곳에서 살고 있다.

03 She _____ to Japan last year. (go)
그녀는 지난해 일본에 갔다.

04 I _____ to Korea several times. (be)
나는 여러 번 한국에 가본 적이 있다.

05 She _____ vegetables every day since February. (eat)
그녀는 2월부터 매일 야채를 먹고 있다.

06 Michelle _____ the piano this morning. (practice)
미쉘은 오늘 아침에 피아노 연습을 했다.

07 She _____ at a library three years ago. (work)
그녀는 3년 전에 도서관에서 일했다.

08 I _____ her since last week. (not see)
나는 지난주 이후 그녀를 보지 못했다.

09 I _____ him a few days ago. (see)
나는 며칠 전에 그를 보았다.

10 He _____ back the day before yesterday. (come)
그는 그저께 돌아왔다.

11 She _____ him since she was a child. (respect)
그녀는 어릴 적부터 그를 존경해 왔다.

12 My sister _____ new shoes yesterday. (buy)
나의 여동생은 어제 새 신발을 샀다.

WORDS
finish 마치다 **ago** 전, 이전 **Japan** 일본 **several** 여러, 몇 **vegetable** 야채 **February** 2월
practice 연습하다 **library** 도서관 **week** 주, 일주일 **a few** 몇, 소수 **child** 아이 **respect** 존경하다 **shoe** 신발

공부한 날 :   부모님 확인 :

【01~03】 다음 중 빈칸에 알맞은 것을 고르세요.

01>

I _____ English for 10 years.
나는 영어를 10년 동안 배우고 있다.

① learn   ② learning
③ have learn   ④ have to learn
⑤ have learned

02>

She _____ back home
yesterday. 그녀는 어제 집에 돌아왔다.

① comes   ② is coming
③ came   ④ have come
⑤ have came

03>

Have you ever _____ to
London? 너는 런던에 가본 적이 있니?

① seen   ② being
③ been   ④ visit
⑤ gone

04> 다음 중 문장이 바르지 않은 것을 고르세요.

① I haven't seen you for a long time.
② I have seen that movie yesterday.
③ Did you go to the zoo last week?
④ John visited Korea last year.
⑤ How have you been?

05> 다음 중 보기의 질문에 알맞은 대답을 고르세요.

Have you ever been to Jeju Island?

① No, I didn't   ② Yes, I have.
③ That's too bad.   ④ Yes, I did.
⑤ That sounds good.

【06~08】 다음 보기의 현재완료와 쓰임이 같은 것을 고르세요.

06>

Have you seen a shark?
너는 상어를 본 적이 있니?

① Mary has lived here for five years.
② Mr. Baker has already gone.
③ I have just finished my homework.
④ I have never been to Hawaii.
⑤ I have lost my watch.

07>

I have left my book at the library.
나는 책을 도서관에 두고 왔다.

① She has lost her watch.
② She has just finished her report.
③ I have already washed the car.
④ Mike has lived here for 10 years.
⑤ He has taught English to her since
last year.

08>

It has rained since yesterday.

어제부터 비가 오고 있다.

① I have heard about Hawaii before.
② He has seen that movie twice.
③ Have you ever met John?
④ Jane has gone to Canada.
⑤ I have enjoyed hiking for a long time.

09> 다음 중 동사와 과거분사가 바르게 연결되지 않은 것을 고르세요.

① go – gone   ② write – written
③ break – broke   ④ fall – fallen
⑤ lose – lost

【10~11】 다음 주어진 단어를 이용하여 빈칸에 쓰세요.

10>   know

How long have you _____ Alice?

너는 얼마 동안 앨리스를 알고 지냈니?

→ _____

11>   be

I have never _____ to Korea.

나는 한국에 가본 적이 없다.

→ _____

【12~14】 다음 중 우리말을 영어로 바르게 쓴 것을 고르세요.

12>

나는 작년부터 이곳에 살고 있다.

① I lived here since last year.
② I have live here since last year.
③ I have lived here since last year.
④ I have living here since last year.
⑤ I lives here since last year.

13>

그녀는 한국에 가서 지금 여기 없다.

① She went to Korea.
② She gone to Korea.
③ She was gone to Korea.
④ She has went to Korea.
⑤ She has gone to Korea.

14>

그는 막 캐나다에서 도착했다.

① He arrived from Canada.
② He is arrived from Canada.
③ He have just arrived from Canada.
④ He has just arrived from Canada.
⑤ He has just arriving from Canada.

15> 다음 중 부정문으로 바르게 바꿔 쓴 것을 고르세요.

He has seen the movie.

① He has seen not the movie.
② He has not see the movie.
③ He didn't see the movie.
④ He has not seen the movie.
⑤ He not has seen the movie.

【16~17】 다음 중 문장이 바른 것을 고르세요.

16> ① He has lost the book last night.
② She has gone to Paris last week.
③ Jane has already finished her homework.
④ I have knew her for five years.
⑤ Sam has washes the car.

17> ① He has played the piano in 2015.
② He has been in Seoul six years ago.
③ They have gone to Tokyo before.
④ I have seen the movie yesterday.
⑤ I have already done the laundry.

18> 다음 중 현재완료 결과를 나타내는 문장을 고르세요.

① Sara has lost her backpack.
② I have met her since last year.
③ Have you ever seen the movie?
④ I have read this book three times.
⑤ I have just written a letter.

19> 다음 중 현재완료 경험을 나타내는 문장이 <u>아닌</u> 것을 고르세요.

① I have never seen James before.
② She has been to Canada once.
③ He has lived in Korea for three years.
④ Have you ever heard this music?
⑤ Kevin has done it many times.

20> 다음 중 현재완료 완료를 나타내는 문장을 고르세요.

① I have studied English for three years.
② I have never seen a zebra.
③ He has gone to Paris.
④ Have you ever been to Seoul?
⑤ I've just finished my homework.

【21~22】 다음 주어진 단어를 이용하여 빈칸에 알맞은 말을 쓰세요.

21> work

He _____ at a this restaurant for two years.
그는 이 식당에서 2년 동안 일하고 있다.

→ _____

22> lose

Mike _____ his dog at the park.
마이크는 공원에서 그의 개를 잃어버렸다.
(지금까지 찾지 못함.)

→ _____

23> 다음 중 빈칸에 알맞은 것을 고르세요.

He has been ill _____ last week.

① to ② before ③ since
④ at ⑤ for

24〉 ① She has gone to India.
　　② I have met her before.
　　③ I have never been to France.
　　④ Have you ever seen this movie?
　　⑤ I have talked with his mom several times.

25〉 ① He has never seen a tiger.
　　② I have been to Hong Kong.
　　③ We have had dinner at that restaurant.
　　④ Have you ever met a movie star?
　　⑤ I have lost my watch.

26〉 다음 빈칸에 알맞은 말을 각각 쓰세요.

　　• She has been ill _____ this Monday.
　　• Cathy has lived in the house _____ three years.

　→ _____

【27~28】 다음 주어진 문장을 보기처럼 현재완료 문장으로 바꿔 쓰세요.

He began to live in Korea in 2018.
He still lives in Korea.
→ 　He has lived in Korea since 2018.

27〉 I first met Jane in 2018.
I still meet Jane.

→ _____

28〉 I began to study English two years ago.
I still study it.

→ _____
　_____

29〉 다음 대화의 빈칸에 알맞은 말을 쓰세요.

A: How _____ have you seen the movie?
B: I have seen the movie three times.

→ _____

30〉 다음 밑줄 친 부분을 바르게 고쳐 쓰세요.

He has invented this machine in 2019.

→ He _____ this machine in 2019.

13 관계대명사

1 관계대명사의 의미와 쓰임

관계대명사는 두 문장에 공통으로 들어간 단어(사람·사물·동물)를 이용하여 한 문장으로 연결하는 역할을 합니다.

I know **a boy**. 나는 한 소년을 알고 있다.
He can speak English. 그는 영어로 말할 수 있다.

이 두 문장에서 a boy와 He는 같은 사람입니다. 이런 경우에 He를 없애고 관계대명사를 이용해서 두 문장을 하나로 묶을 수 있습니다.

I know **a boy**. + **He** can speak English.
→ I know <u>**a boy**</u> <u>**who**</u> can speak English. 나는 영어로 말할 수 있는 한 소년을 알고 있다.
            선행사   관계대명사

위 문장에서 who가 '관계대명사'이며 who 앞에 a boy가 '선행사'입니다. 선행사가 사람(a boy)이기 때문에 뒤에 관계대명사가 who가 온 것입니다.

> **Tips** 선행사란 관계대명사 앞에 오는 명사나 대명사를 말합니다. 선행사는 관계대명사 바로 앞에 위치하며, 선행사에 따라 관계대명사의 종류가 달라집니다.
> He is <u>the teacher</u> who teaches us English. 그가 우리에게 영어를 가르치는 선생님이다.
>   선행사

2 관계대명사의 종류

관계대명사에는 who, which, that 등이 있으며 이러한 관계대명사는 선행사에 따라 그 쓰임이 달라집니다.

선행사	관계대명사	예문
사람일 때	**who**	I know <u>the girl</u> **who** is playing the piano. 나는 피아노를 연주하는 소녀를 알고 있다.
사물/동물일 때	**which**	He has <u>a dog</u> **which** has a short tail. 그는 꼬리가 짧은 강아지가 있다.
사람/사물/동물일 때	**that**	I have <u>a friend</u> **that** can speak French. 나는 프랑스어를 하는 친구가 있다. This is <u>the book</u> **that** I bought yesterday. 이것이 내가 어제 산 책이다.

> **Tips** 사람과 동물이 선행사로 함께 쓰일 때 that을 씁니다.
> There are <u>a boy and a dog</u> that are running along the beach.
> 해변을 따라 뛰고 있는 소년과 개가 있다.

1 다음 괄호 안에서 알맞은 것을 고르세요.

01 I saw a girl ((who) / which) was wearing a yellow skirt.
나는 노란 치마를 입은 소녀를 보았다.

02 Eric is the only boy (who / which) can speak French.
에릭이 프랑스어를 하는 유일한 소년이다.

03 She is the woman (who / which) gave me this candy this morning.
그녀가 오늘 아침 이 사탕을 내게 준 여성이다.

04 This is the movie (who / which) I watched yesterday.
이것이 내가 어제 봤던 영화다.

05 I read the magazine (who / which) she borrowed.
나는 그녀가 빌린 잡지를 읽었다.

06 These are the blue jeans (who / which) I want to buy.
이것들이 내가 사고 싶은 청바지이다.

07 These are the cookies (who / that) she baked yesterday.
이것들이 그녀가 어제 구웠던 쿠키들이다.

08 She is the teacher (who / which) I want to meet.
그녀가 내가 만나고 싶은 선생님이다.

09 Do you know the man (that / which) is wearing sunglasses?
너는 선글라스를 쓰고 있는 남성을 아니?

10 Spring is the season (who / which) comes after winter.
봄은 겨울 다음에 오는 계절이다.

11 I saw a boy and a dog (who / that) were crossing the street.
나는 길을 건너는 소년과 개를 보았다.

12 He made a robot (who / which) cleans the house.
그는 집을 청소하는 로봇을 만들었다.

WORDS

wear 입다 **only** 유일한 **speak** 말하다 **French** 프랑스어 **woman** 여자 **magazine** 잡지
borrow 빌리다 **blue jeans** 청바지 **bake** 굽다 **sunglasses** 선글라스 **season** 계절 **cross** 건너다

Practice **2**

1 다음 문장에서 관계대명사를 찾아 쓰세요.

01 I have a garden which has lots of roses.   → ___which___
나는 장미가 많은 정원이 있다.

02 I know the woman who is reading a book.   → _____
나는 책을 읽고 있는 여성을 안다.

03 I have a dog which can dance.   → _____
나는 춤을 출 수 있는 개가 있다.

04 This is the boy who lives next door.   → _____
이 사람이 옆집에 사는 소년이다.

05 This is the watch which he bought yesterday.   → _____
이것은 그가 어제 샀던 시계다.

2 다음 문장에서 선행사를 찾아 쓰세요.

01 This is the book that I read yesterday.   → ___the book___
이것이 어제 내가 읽은 책이다.

02 He gave me a picture that he painted himself.   → _____
그는 그가 직접 그린 그림을 내게 주었다.

03 I like houses which have many windows.   → _____
나는 창문이 많은 집들을 좋아한다.

04 This is the table which his father made.   → _____
이것이 그의 아버지가 만든 식탁이다.

05 I like the dress that Ann is wearing.   → _____
나는 앤이 입고 있는 드레스가 마음에 든다.

WORDS

garden 정원 **lots of** 많은 **rose** 장미 **know** 알다 **woman** 여자 **dance** 춤추다 **next door** 옆집

yesterday 어제 **picture** 그림 **paint** 칠하다 **himself** 그 자신 **house** 집 **dress** 드레스 **wear** 입다

1 다음 빈칸에 알맞은 관계대명사를 쓰세요. (that은 사용하지 마세요.)

01 I know a boy ____who____ can speak Korean.
나는 한국어를 하는 소년을 안다.

02 This is the house _____ I lived in.
이것이 내가 살던 집이다.

03 I visited the palace _____ was built 300 years ago.
나는 300년 전에 지어진 궁을 방문했다.

04 Sam likes the girl _____ is playing the piano over there.
샘은 저쪽에서 피아노를 치고 있는 소녀를 좋아한다.

05 This is the bag _____ he bought for me.
이것이 그가 내게 사준 가방이다.

06 The man _____ is singing on stage is my uncle.
무대에서 노래하는 남자는 나의 삼촌이다.

07 He uses the vegetables _____ we grow.
그는 우리가 재배하는 채소를 사용한다.

08 I'm waiting for my friend _____ took my bag.
나는 내 가방을 가져간 친구를 기다리고 있다.

09 Michelle has a cat _____ has beautiful eyes.
미쉘은 아름다운 눈을 가진 고양이가 있다.

10 I met a singer _____ is very popular in Korea.
나는 한국에서 매우 인기 있는 가수를 만났다.

11 He is a writer _____ I want to meet.
그는 내가 만나고 싶은 작가이다.

12 This is the bag _____ I lost yesterday.
이것이 내가 어제 잃어버린 가방이다.

WORDS

know 알다 speak 말하다 Korean 한국어 house 집 palace 궁 stage 무대 use 사용하다
grow 재배하다 wait 기다리다 beautiful 아름다운 eye 눈 popular 인기 있는 writer 작가

Chapter 14 주격 관계대명사

본문 강의

 주격 관계대명사

관계대명사는 선행사가 사람이냐 사물이냐에 따라 사용하는 관계대명사가 다릅니다. 뿐만 아니라 관계대명사는 역할에 따라 주격, 소유격, 목적격으로 구분할 수 있으며, 어떤 역할을 하는지에 따라 사용하는 관계대명사가 다릅니다. 두 문장을 한 문장으로 만들 때 관계대명사가 주어 역할을 하는 것을 주격 관계대명사라고 합니다.

I know the girl. **The girl** is sleeping on the sofa.
　　　　　　　　　주어

I know the girl **who** is sleeping on the sofa. 나는 소파에서 자고 있는 소녀를 안다.
　　　　　　주격 관계대명사

 관계대명사의 종류

선행사 　　　　격	주격(~은·는·이·가)	목적격(~을·를)	소유격(~의)
사람	who	who(m)	whose
사물, 동물	which	which	
사람, 사물, 동물	that	that	

 주격 관계대명사 who – 선행사가 사람일 때 사용합니다.

I like the girl. + The girl is playing the piano over there.
나는 그 소녀를 좋아한다.　　그 소녀는 저쪽에서 피아노를 치고 있다.
※ 뒤에 나오는 The girl이 주어 역할을 하기 때문에 The girl 대신 사용할 주격 관계대명사가 필요합니다.

I like the girl **who** is playing the piano over there. 나는 저쪽에서 피아노를 치는 소녀를 좋아한다.
※ 선행사가 the girl이므로 관계대명사 who를 사용했습니다.

 주격 관계대명사 which – 선행사가 사물이나 동물일 때 사용합니다.

Look at the dog. + The dog is running fast.
개를 봐라.　　　　　　그 개가 빨리 달리고 있다.
※ 뒤에 나오는 The dog이 주어 역할을 하기 때문에 The dog 대신 사용할 주격 관계대명사가 필요합니다.

Look at the dog **which** is running fast. 빨리 달리고 있는 개를 봐라.
※ 선행사가 the dog이므로 관계대명사 which를 사용했습니다.

 주격 관계대명사 that – 선행사가 사람, 사물, 동물일 때 모두 사용할 수 있습니다.

I have a friend. + He lives in Canada.
나는 친구가 있다.　　그는 캐나다에 산다.
※ 뒤에 나오는 대명사 He가 주어 역할을 하기 때문에 He 대신 사용할 주격 관계대명사가 필요합니다.

I have a friend **that** lives in Canada. 나는 캐나다에 살고 있는 친구가 있다.

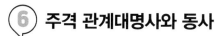

6 주격 관계대명사와 동사

주격 관계대명사 다음에는 be동사나 일반동사가 나옵니다. 이때 동사는 선행사의 수에 일치시켜야 합니다.

I have some cookies. + The cookies are not sweet.
나는 쿠키가 좀 있다.　　　그 쿠키들은 달지 않다.

→ I have some cookies that **are** not sweet. (○) 나는 달지 않은 쿠키가 좀 있다.

※ 선행사 cookies가 복수이므로 주격 관계대명사 that 다음에 are가 나와야 합니다.

I have some cookies that **is** not sweet. (×)

Practice 1

Guide
관계대명사는 선행사에 따라 사용하는 관계대명사가 다릅니다.

1 다음 괄호 안에서 알맞은 것을 고르세요.

01 This is the girl ((who) / which) plays the piano well.
이 소녀가 피아노를 잘 치는 소녀다.

02 She has two cats (who / which) are black.
그녀는 검은 고양이 두 마리가 있다.

03 These are the books which (was / were) written by Cathy.
이것들이 캐시가 쓴 책들이다.

04 Do you know the man (that / which) is standing over there?
너는 저쪽에 서 있는 남자를 아니?

05 They are the scientists who (is / are) from England.
그들은 영국에서 온 과학자들이다.

06 Mr. Brown is the teacher (who / which) is the tallest in my school.
브라운 선생님은 나의 학교에서 키가 제일 큰 선생님이다.

07 I know the girl who (has / have) long hair.
나는 머리가 긴 소녀를 안다.

08 I have many friends (who / which) are nice to me.
나는 나에게 친절한 친구들이 많다.

09 She met a man (who / which) works at a bank.
그녀는 은행에서 일하는 남자를 만났다.

WORDS

girl 소녀　well 잘　written 쓰다(write)의 과거분사형　know 알다　man 남자　stand 서다

scientist 과학자　England 영국　long 긴　hair 머리카락　many 많은　nice 친절한　bank 은행

Guide

관계대명사 that은 선행사가 사람, 사물, 동물일 때 모두 사용할 수 있습니다.

1 다음 빈칸에 알맞은 관계대명사를 쓰세요. (관계대명사 that은 쓰지 마세요.)

01 I know the boy ___who___ ate your cake.
나는 네 케이크를 먹은 소년을 알고 있다.

02 Alice is the student _____ is good at cooking.
앨리스는 요리를 잘하는 학생이다.

03 These are the flowers _____ were sent to Cathy.
이것들은 캐시에게 보냈던 꽃들이다.

04 I want to meet the chef _____ made this pasta.
나는 이 파스타를 만든 요리사를 만나고 싶다.

05 We need a person _____ is good at swimming.
우리는 수영을 잘하는 사람이 필요하다.

2 다음 영어를 우리말로 쓰세요.

01 I need a person who can speak Chinese.
→ _____나는 중국어를 할 수 있는 사람이 필요하다._____

02 We live in a house that was built in 1950.
→ _____

03 Look at the cat which is sleeping under the chair.
→ _____

04 She often makes pizza which tastes good.
→ _____

05 The boy who broke the window ran away.
→ _____

WORDS
cake 케이크 student 학생 be good at ~을 잘하다 flower 꽃 chef 요리사 pasta 파스타
person 사람 Chinese 중국어 under ~ 아래에 often 자주, 종종 taste 맛이 나다 run away 도망가다

1 다음 우리말과 일치하도록 주어진 단어를 알맞게 배열하세요.

01 이것이 시청에 가는 버스다. (the bus / goes / that)

→ This is ___the bus that goes___ to the city hall.

02 이분들이 그 로봇을 만든 과학자들이다. (made / the scientists / the robot / who)

→ These are _____ .

03 너는 식탁 위에 있던 모자를 봤니? (was / which / the cap / on the table)

→ Did you see _____ ?

04 나는 그 문제를 풀 수 있는 소년을 알고 있다. (can / solve / who / the boy)

→ I know _____ the problem.

05 우리는 오전 8시에 떠나는 기차를 탈 것이다. (that / the train / leaves)

→ We are going to take _____ at 8 a.m.

2 다음 밑줄 친 부분을 바르게 고치세요.

01 I have an uncle who <u>live</u> in Canada. → ___lives___
나는 캐나다에 사는 삼촌이 있다.

02 They are the students who <u>is</u> from Korea. → _____
그들은 한국에서 온 학생들이다.

03 There are many people <u>which</u> need your help. → _____
너의 도움이 필요한 많은 사람들이 있다.

04 He fixed the machine <u>who</u> made a lot of noise. → _____
그는 소음이 너무 많이 나는 기계를 수리했다.

05 We need a house that <u>have</u> two bathrooms. → _____
우리는 욕실이 2개인 집이 필요하다.

WORDS

city hall 시청   scientist 과학자   robot 로봇   cap 모자   solve 풀다   problem 문제   leave 떠나다
uncle 삼촌   people 사람들   help 도움   fix 고치다   machine 기계   noise 소음   bathroom 욕실

Chapter 15 목적격 관계대명사

본문 강의

① 목적격 관계대명사

두 문장을 한 문장으로 만들 때 관계대명사가 목적어 역할을 하는 것을 목적격 관계대명사라고 합니다.

This is the movie. I want to see the movie.
　　　　　　　　　　　　　　　　목적어

This is the movie **which[that]** I want to see. 이것이 내가 보고 싶은 영화다.
　　　　　　　목적격 관계대명사

> Tips 관계대명사의 종류

선행사　　　　　격	주격(~은·는·이·가)	목적격(~을·를)	소유격(~의)
사람	who	who(m)	
사물, 동물	which	which	whose
사람, 사물, 동물	that	that	

② 목적격 관계대명사 who(m) – 선행사가 사람일 때 사용합니다.

He is the man. + I met him yesterday.
그는 그 남자이다.　　　　나는 어제 그를 만났다.
※ 뒤에 나오는 him이 목적어 역할을 하기 때문에 him 대신 사용할 목적격 관계대명사가 필요합니다.

He is the man **who(m)** I met yesterday. 그는 내가 어제 만났던 남자다.
※ 선행사가 the man이므로 목적격 관계대명사 who(m)를 사용했으며 두 번째 문장의 him은 제거했습니다

> Tips who는 원래 주격 관계대명사로, whom은 목적격 관계대명사로 사용되었는데, whom이 다소 발음하기가 어려워 whom 대신에 who도 같이 사용하게 되었습니다.

③ 목적격 관계대명사 which – 선행사가 사물이나 동물일 때 사용합니다.

This is the book + I bought the book yesterday.
이것이 그 책이다.　　　나는 어제 그 책을 샀다.
※ 뒤에 나오는 the book이 목적어 역할을 하기 때문에 the book 대신 사용할 목적격 관계대명사가 필요합니다.

This is the book **which** I bought yesterday. 이것은 어제 내가 샀던 책이다.
※ 선행사가 the book이므로 목적격 관계대명사 which를 사용했으며 두 번째 문장의 the book은 제거했습니다.

④ 목적격 관계대명사 that – 선행사가 사람, 사물, 동물일 때 모두 사용할 수 있습니다.

This is the watch. + I lost the watch yesterday.
이것은 그 시계다.　　　　나는 그 시계를 어제 잃어버렸다.
※ 뒤에 나오는 the watch가 목적어 역할을 하기 때문에 the watch 대신 사용할 목적격 관계대명사가 필요합니다.

This is the watch **that** I lost yesterday. 이것은 내가 어제 잃어버렸던 시계다.
※ 선행사가 the watch이므로 목적격 관계대명사 that을 사용했으며 두 번째 문장의 the watch는 제거했습니다.

⑤ 목적격 관계대명사의 생략

목적격 관계대명사는 생략할 수 있으며, 목적격 관계대명사가 생략되어도 의미는 변하지 않습니다.

This is the book **that** I read yesterday.
→ This is the book I read yesterday. 이것이 내가 어제 읽은 책이다.

Practice 1

문장에서 관계대명사가 목적어 역할을 하는 것을 목적격 관계대명사라고 합니다.

◀Guide

1 다음 문장에서 밑줄 친 관계대명사의 쓰임에 ○표 하세요.

	주격	목적격

01 I know the man <u>who</u> you like.
　　나는 네가 좋아하는 남자를 안다. 　　　　　　　　　　　○

02 I like the girl <u>that</u> is singing.
　　나는 노래하고 있는 소녀를 좋아한다.

03 This is the book <u>that</u> he borrowed from the library.
　　이것이 그가 도서관에서 빌려온 책이다.

04 It's the same watch <u>that</u> she lost.
　　그것은 그녀가 잃어버렸던 시계와 같은 시계다.

05 I need the dress <u>which</u> Ann is wearing.
　　나는 앤이 입고 있는 드레스가 필요하다.

06 This is the house <u>which</u> my father built last year.
　　이것이 나의 아버지가 작년에 지은 집이다.

07 I met a lady <u>who</u> works at a library.
　　나는 도서관에서 일하는 여성을 만났다.

08 She is reading the book <u>which</u> I recommended.
　　그녀는 내가 추천한 책을 읽고 있다.

09 Do you know the man <u>who</u> is talking to John?
　　너는 존과 얘기하고 있는 남자를 알고 있니?

WORDS
man 남자　**sing** 노래하다　**borrow** 빌리다　**library** 도서관　**same** 같은　**watch** 시계　**wear** 입다
built 짓다(build)의 과거형　**lady** 여성, 숙녀　**recommend** 추천하다　**talk** 이야기하다

1 다음 괄호 안에서 알맞은 관계대명사를 고르세요.

01 I ate the sandwiches (who / (which)) you bought.
나는 네가 산 샌드위치를 먹었다.

02 She gave me the cake (that / whom) her mother made.
그녀는 그녀의 어머니가 만든 케이크를 내게 줬다.

03 Do you remember the woman (which / whom) you met at the party?
너는 파티에서 만난 여성을 기억하니?

04 Did you see the book (who / that) I put on the desk?
너는 내가 책상 위에 놓은 책을 봤니?

05 You are the only person (which / that) we can trust.
너가 우리가 신뢰할 수 있는 유일한 사람이다.

06 Korea is the country (who / that) I want to visit.
한국은 내가 방문하고 싶은 국가이다.

07 Is this the gift (which / whom) you bought for her?
이것이 네가 그녀를 위해 산 선물이니?

08 The movie (who / that) they saw last night was fun.
그들이 어젯밤에 본 영화는 재미있었다.

09 The subject (which / whom) I like most is science.
내가 가장 좋아하는 과목은 과학이다.

10 I can't find the boy (who / which) you introduced to me.
나는 네가 내게 소개해 준 소년을 찾을 수가 없다.

11 Correct the mistakes (who / which) you made during the test.
시험 시간 동안 네가 한 실수들을 수정해라.

12 He received the letter (who / which) she sent him last week.
그는 그녀가 그에게 지난주에 보낸 편지를 받았다.

WORDS

sandwich 샌드위치 **remember** 기억하다 **party** 파티 **only** 유일한 **person** 사람 **trust** 신뢰하다
country 나라 **gift** 선물 **subject** 과목 **introduce** 소개하다 **correct** 고치다 **mistake** 실수 **receive** 받다

1 다음 우리말과 일치하도록 주어진 단어를 알맞게 배열하세요.

01 그는 내가 고장 낸 자전거를 고쳤다. (fixed / the bicycle / that / broke / I)

→ He _____fixed the bicycle that I broke_____ .

02 나는 그가 만든 피자를 먹었다. (the pizza / made / that / he)

→ I ate _____ .

03 잭은 내가 그에게 사준 책을 읽었다. (that / I / read / the book / bought)

→ Jack _____ for him.

04 이것이 그녀가 사기를 원하는 카메라이다. (she / wants to / the camera / that / buy)

→ This is _____ .

05 그는 강 옆에서 그가 찍은 사진들을 내게 보여줬다. (the pictures / took / which / he)

→ He showed me _____ by the river.

2 다음 문장에서 목적격 관계대명사를 생략하고 다시 쓰세요.

01 She ate the curry and rice that I made.

→ _____She ate the curry and rice I made._____

02 This is the book which you have to read.

→ _____

03 The cake which he bought yesterday was delicious.

→ _____

04 The man who we met at the party didn't like dancing.

→ _____

05 The dictionary that I'm using now is old.

→ _____

WORDS

bicycle 자전거   bought 사다(buy)의 과거형   camera 카메라   picture 사진   show 보여주다   river 강

curry and rice 카레라이스   delicious 맛있는   party 파티   dancing 춤   dictionary 사전   use 사용하다

본문 강의

1 **관계대명사 what의 의미와 쓰임**

관계대명사 what은 선행사를 포함하는 관계대명사이기 때문에 what 앞에는 선행사가 올 수 없으며, '~하는 것'으로 해석합니다.

This is **what** I want. 이것이 내가 원하는 것이다.
　　　　　관계대명사

· **관계대명사 What의 대체**

관계대명사 what은 the thing which 또는 the thing that으로
바꿔 쓸 수 있습니다.

I gave him the thing which he wanted.
= I gave him **what** he wanted. 나는 그가 원하는 것을 그에게 줬다.

· **관계대명사 What의 문장 구성 요소**

관계대명사 what은 [what+주어+동사]의 형태로 주어, 목적어, 보어 자리에 올 수 있습니다.

주어	**What I want** is a new computer. 내가 원하는 것은 새로운 컴퓨터이다. **What is important** is love. 중요한 것은 사랑이다.
목적어	Do you know **what she likes**? 너는 그녀가 좋아하는 것을 아니? He gave me **what I wanted**. 그는 내가 원했던 것을 나에게 줬다.
보어	This is not **what I want**. 이것은 내가 원하는 것이 아니다. That is **what Mike said**. 저것은 마이크가 말했던 것이다.

2 **관계대명사 that과 접속사 that**

that은 여러 가지 역할을 하는데 이번 chapter에서는 관계대명사 that과 접속사 that에 대해서 알아보겠습니다. 관계대명사 that과 접속사 that은 모두 문장과 문장을 연결하는 역할을 하지만 쓰임이다릅니다.

(1) **관계대명사 that** - 관계대명사 that 뒤에는 불완전한 문장이 옵니다.

　I know a boy **that is smart**. 나는 영리한 소년을 안다. – 주어가 없는 문장
　This is the book **that he bought yesterday**. 이것은 그가 어제 샀던 책이다. – 목적어가 없는 문장

(2) **접속사 that** - 접속사 that은 동사의 목적어 자리에 위치하며 '~ 것을', '~이라고'라고 해석합니다.

　I know **that** he is smart. 나는 그가 영리하다는 것을 안다.
　　동사　　　　목적어
　She said **that** the story was true. 그녀는 그 이야기가 사실이라고 말했다.
　　동사　　　　　목적어

 Tips 접속사 that은 [동사+that(접속사)+완전한 문장] 형태이고, 관계대명사 that은 [명사+that(관계대명사)+불완전한 문장] 형태입니다.

 Guide
관계대명사 what은 선행사를 포함하므로 앞에 선행사가 올 수 없습니다.

1 다음 괄호 안에서 알맞은 것을 고르세요.

01 He bought ((what) / that) he needed.
그는 그가 필요로 하던 것을 샀다.

02 This is not (that / what) she wants.
이것은 그녀가 원하는 것이 아니다.

03 I can't find the watch (which / what) you lost yesterday.
나는 네가 어제 잃어버린 시계를 찾을 수가 없다.

04 He is reading the book (that / what) he borrowed from Ted.
그는 테드에게서 빌려온 책을 읽고 있다.

05 Is this (that / what) you are looking for?
이것이 네가 찾는 것이니?

06 He said (that / which) his name was David.
그가 자기 이름이 데이비드라고 말했다.

07 (What / Which) you are saying is a lie.
너가 말하고 있는 것은 거짓말이다.

08 Look at the boy and the dog (that / what) are sitting on the bench.
벤치에 앉아 있는 소년과 개를 봐라.

09 Do you know (that / what) she likes?
너는 그녀가 좋아하는 것을 아니?

10 He knew (that / what) I was lying.
그는 내가 거짓말하는 것을 알았다.

11 She is the woman (who / what) gave me cookies.
그녀는 내게 이 쿠키들을 준 여성이다.

12 My dad said (what / that) the story was true.
나의 아빠는 이 이야기가 사실이라고 말했다.

WORDS

need 필요하다 **find** 찾다 **yesterday** 어제 **borrow** 빌려오다 **look for** ~을 찾다 **name** 이름

lie 거짓말 **sit** 앉다 **bench** 벤치 **lie** 거짓말하다 **woman** 여성 **story** 이야기 **true** 사실인

Guide
관계대명사 that 뒤에는 불완전한 문장이 옵니다.

1 다음 밑줄 친 that의 쓰임을 구별하고, 영어를 우리말로 쓰세요.

01 This is the computer that he bought last year.

→ _____이것이 그가 지난해 산 컴퓨터이다._____

접속사 / 관계대명사⃝

02 I believe that he is honest.

→ _____

접속사 / 관계대명사

03 I live in a small house that has no garden

→ _____

접속사 / 관계대명사

04 I know that you like apples.

→ _____

접속사 / 관계대명사

05 She likes the apples that I grow.

→ _____

접속사 / 관계대명사

2 다음 우리말과 일치하도록 주어진 단어를 알맞게 배열하세요.

01 네가 봤던 것은 유령이 아니었다. (saw / you / what)

→ _____What you saw_____ was not a ghost.

02 벤은 내가 말한 것을 믿지 않았다. (believe / said / what / I)

→ Ben did not _____ .

03 나는 네가 말하고 있는 것을 이해하지 못한다. (you / understand / are saying / what)

→ I don't _____ .

04 그녀는 그녀가 가지고 있던 시계를 내게 줬다. (that / the watch / she / had)

→ She gave me _____ .

05 그는 우리가 파티에 필요한 것을 샀다. (bought / we / what / needed)

→ He _____ for the party.

WORDS

computer 컴퓨터 believe 믿다 honest 정직한 garden 정원 grow 재배하다 ghost 유령

believe 믿다 understand 이해하다 watch 시계 gave 주다(give)의 과거형 need 필요하다 party 파티

1 다음 우리말과 일치하도록 빈칸에 what이나 that을 쓰세요.

01 I always forget ____what____ I learn.
나는 항상 배운 것을 잊어버린다.

02 This is not _____ I'm looking for.
이것은 내가 찾던 것이 아니다.

03 _____ is important is your safety.
중요한 것은 너의 안전이다.

04 This is the ring _____ you are looking for.
이것이 네가 찾고 있는 반지다.

05 Money is not _____ I want.
돈은 내가 원하는 것이 아니다.

06 He thinks _____ your uncle is handsome.
그는 너의 삼촌이 잘생겼다고 생각한다.

07 He didn't believe _____ I told him about the queen.
그는 내가 여왕에 관해 그에게 말한 것을 믿지 않았다.

08 _____ he wants to buy is a bicycle.
그가 사고 싶어 하는 것은 자전거다.

09 She found _____ she lost yesterday.
그녀는 어제 잃어버린 것을 찾았다.

10 She said _____ she was a nurse.
그녀는 자신이 간호사라고 말했다.

11 This is _____ my teacher said.
이것이 나의 선생님이 얘기했던 것이다.

12 They ate the food _____ we made for them.
그들은 우리가 그들에게 만들어준 음식을 먹었다.

WORDS

always 언제나　forget 잊다　learn 배우다　important 중요한　safety 안전　ring 반지
handsome 잘생긴　believe 믿다　queen 여왕　nurse 간호사　ate 먹다(eat)의 과거형　food 음식

공부한 날 :   부모님 확인 :

【01~04】 다음 중 빈칸에 알맞은 것을 고르세요.

01>

Ted has a dog _____ has yellow hair.

① and   ② which   ③ whom
④ what   ⑤ whose

02>

This is the book _____ I read yesterday.

① and   ② which   ③ whom
④ what   ⑤ whose

03>

Eric is the only boy _____ can speak French.

① and   ② which   ③ whom
④ what   ⑤ that

04>

This is not _____ I want.

① and   ② which   ③ whom
④ what   ⑤ that

【05~06】 다음 중 문장이 바르지 않은 것을 고르세요.

05> ① I know the boy whom she likes.
② This is the house which I lived in.
③ This is the house which my dad built.
④ She has a garden which has lots of roses.
⑤ This is the book who he bought for me.

06> ① I like books which have many pictures.
② English is the subject which I like most.
③ This is the boy whom lives next door.
④ He drank tea that was very hot.
⑤ This is the watch which he bought yesterday.

07> 다음 중 밑줄 친 부분의 쓰임이 나머지와 다른 것을 고르세요.

① Who do you like most?
② I know the girl who is wearing a skirt.
③ I met a girl who knew you.
④ This is the boy who can speak Korean.
⑤ He was a scientist who invented the computer.

【08~10】 다음 중 밑줄 친 관계대명사의 쓰임이 다른 것을 고르세요.

08> ① Spain is a country which I want to visit.
② She met a man who works at a bank.
③ Spring is the season which comes after winter.
④ I went to the store which sells fresh vegetables.
⑤ Open the box which is on the table.

09› ① I know the man <u>that</u> you met at the café.

② I like the girl <u>that</u> is dancing.

③ This is the movie <u>that</u> I saw yesterday.

④ It is the same bag <u>that</u> she lost.

⑤ I like the dress <u>that</u> Amy is wearing now.

10› ① He likes the pizza <u>that</u> I make.

② The people <u>whom</u> we met were very kind.

③ These are the pencils <u>which</u> he gave me.

④ I know the girl <u>who</u> Sam likes.

⑤ He has a cat <u>that</u> has a long tail.

11› 다음 중 빈칸에 알맞은 말이 바르게 연결된 것을 고르세요.

- People _____ play soccer have to drink lots of water.
- They liked the cookies _____ my mom baked.

① which - who　　② who - which

③ which - that　　④ who - whom

⑤ what - which

【12~14】 다음 중 우리말을 영어로 바르게 쓴 것을 고르세요.

12› 이것은 내가 읽고 싶은 책이다.

① I want to read which is this book.

② This is the book whom I want to read.

③ This is the book who I want to read.

④ This is the book that I want to read.

⑤ This is the book what I want to read.

13› 나는 한국에서 매우 인기 있는 가수를 만났다.

① I met a singer what is very popular in Korea.

② I met a singer whose is very popular in Korea.

③ I met a singer who is very popular in Korea.

④ I met a singer whom is very popular in Korea.

⑤ I met a singer which is very popular in Korea.

14› 그가 말한 것은 사실이 아니다.

① Which he said is not true.

② What he said is not true.

③ Who he said is not true.

④ Whom he said is not true.

⑤ That he said is not true.

【15~18】 다음 두 문장을 관계대명사를 이용하여 한 문장으로 만드세요.

15›

He loves the woman.
The woman works at a bank.

→ _____

_____

16 >

Richard bought a car.
The car was made in Korea.

→ _____

_____

17 >

This is the backpack.
I bought it last week.

→ _____

_____

18 >

He found the pen.
I lost the pen yesterday.

→ _____

_____

19 > 다음 중 빈칸에 알맞은 것을 밑줄 모두 고르세요.

This is the computer _____
my dad used last year.

① who   ② whom   ③ which
④ that   ⑤ what

20 > 다음 중 빈칸에 알맞은 것을 고르세요.

This is not _____ I bought.

① who   ② whom   ③ which
④ that   ⑤ what

21 > 다음 중 밑줄 친 **that**의 쓰임이 다른 것을 고르세요.

① He is the teacher that we like.
② She is the girl that I love.
③ I think that you are very kind.
④ She is reading the letter that I sent her.
⑤ He is wearing a cap that his mom bought for him.

22 > 다음 중 빈칸에 **which**를 쓸 수 있는 것을 고르세요.

① I like the girl _____ is playing the guitar.
② There are many students _____ study hard.
③ She wants someone _____ is honest.
④ He keeps a cat _____ can jump high.
⑤ That's the man _____ I saw at the café.

23> 다음 중 밑줄 친 부분을 생략할 수 <u>없는</u> 것을 고르시오.

① This is the movie <u>that</u> I watched twice.
② I know the man <u>whom</u> you met yesterday.
③ I met a lady <u>who</u> liked Korean food.
④ He ate the sandwiches <u>which</u> you made.
⑤ She read the book <u>which</u> he recommended.

24> 다음 중 밑줄 친 것이 바르지 <u>않은</u> 것을 고르세요.

① Show me <u>what</u> you have in your pocket.
② That's not <u>what</u> I want to buy.
③ Don't tell her <u>what</u> I told you.
④ <u>What</u> I want is your bicycle.
⑤ He lost the ring <u>what</u> I bought for him.

【25~26】 다음 빈칸에 알맞은 말을 쓰세요.

25>

They bought _____ they needed. 그들은 그들이 필요로 하던 것을 샀다.

→ _____

26>

I know _____ you like apples.
나는 네가 사과를 좋아하는 것을 안다.

→ _____

【27~28】 다음 우리말과 일치하도록 주어진 단어를 알맞게 배열하세요.

27>

내가 필요한 것은 연필이다.
(a pencil / is / need / I / what)

→ _____

28>

나는 그녀가 만든 것을 먹었다.
(ate / what / she / I / made)

→ _____

【29~30】 다음 우리말과 일치하도록 밑줄 친 부분을 바르게 고치세요.

29>

He said <u>which</u> he was a singer.
그는 그가 가수라고 말했다.

→ _____

30>

She is the nurse <u>which</u> gave me a cup of coffee.
그녀가 내게 커피 한 잔을 준 간호사이다.

→ _____

memo

memo

memo

Longman

GRAMMAR
HOUSE
초등영문법

6

WORKBOOK
& ANSWERS

PEARSON

Longman

GRAMMAR HOUSE
초등영문법

WORKBOOK

6

Pearson

🍃 다음 단어를 3번씩 더 쓰세요.

	단어	뜻	쓰기
01	become	되다	become
02	boring	지루한	boring
03	delicious	맛있는	delicious
04	director	감독	director
05	famous	유명한	famous
06	favorite	좋아하는	favorite
07	gym	체육관	gym
08	laugh	웃다	laugh
09	leaf	나뭇잎	leaf
10	library	도서관	library
11	loudly	큰 소리로	loudly
12	market	시장	market
13	musician	음악가	musician
14	plan	계획	plan
15	scientist	과학자	scientist
16	set	(해 등이) 지다	set
17	simple	간단한	simple
18	slowly	천천히	slowly
19	subject	과목	subject
20	weak	약한	weak

1 다음 우리말 뜻에 해당하는 영어 단어를 쓰세요.

01 맛있는 → _____ 02 계획 → _____

03 시장 → _____ 04 되다 → _____

05 과목 → _____ 06 도서관 → _____

07 웃다 → _____ 08 체육관 → _____

09 과학자 → _____ 10 좋아하는 → _____

11 나뭇잎 → _____ 12 지루한 → _____

2 다음 우리말과 일치하도록 보기에서 알맞은 단어를 골라 쓰세요.

loudly   musician   director   slowly   weak

01 그의 삼촌은 영화감독이다.

→ His uncle is a movie _____.

02 그녀는 유명한 음악가이다.

→ She is a famous _____.

03 그는 큰 소리로 웃었다

→ He laughed _____.

중요문법 요점정리

▶ 영어 문장은 주어, _____, _____, 보어로 구성되어 있으며, 이들이 어떻게 문장을 구성하느냐에 따라 _____ 가지로 문장으로 구별할 수 있습니다.

▶ 1형식 문장은 [_____ + _____]로 이루어진 문장입니다.

▶ There로 시작하는 문장은 [There + _____ + 주어 + 수식어] 형태로 1형식 문장입니다.
There is/are 다음에 오는 명사가 _____입니다. 이때 There는 '거기에'라고 해석하지 않습니다.

▶ 2형식 문장은 [주어 + 동사+_____]로 이루어진 문장입니다.
2형식의 대표적인 동사는 _____, become, get과 같은 동사가 있습니다.

▶ feel, smell, look, sound, taste 등의 _____ 다음에 형용사가 오면 2형식 문장입니다.

다음 단어를 3번씩 더 쓰세요.

	단어	뜻	쓰기
01	ask	묻다	ask
02	birthday	생일	birthday
03	difficult	어려운	difficult
04	email	이메일	email
05	flower	꽃	flower
06	gift	선물	gift
07	glasses	안경	glasses
08	glove	장갑	glove
09	help	돕다	help
10	kite	연	kite
11	letter	편지	letter
12	math	수학	math
13	picture	사진	picture
14	present	선물	present
15	question	질문	question
16	send	보내다	send
17	show	보여주다	show
18	strange	이상한	strange
19	write	쓰다	write
20	yesterday	어제	yesterday

1 다음 우리말 뜻에 해당하는 영어 단어를 쓰세요.

01 어려운 → _____ 02 묻다 → _____

03 수학 → _____ 04 돕다 → _____

05 어제 → _____ 06 이상한 → _____

07 선물 → _____ 08 편지 → _____

09 이메일 → _____ 10 질문 → _____

11 꽃 → _____ 12 선물 → _____

2 다음 우리말과 일치하도록 보기에서 알맞은 단어를 골라 쓰세요.

> glasses   glove   sends   picture   showed

01 나의 아빠가 나에게 내 안경을 찾아줬다.

→ My dad found me my _____.

02 나는 친구들에게 내 방을 보여줬다.

→ I _____ my room to my friends.

03 그녀는 매일 그에게 이메일을 보낸다.

→ She _____ an email to him every day.

중요문법 요점정리

▶ 3형식 문장은 [주어 + 동사 + _____]로 이루어진 형태의 문장입니다. 목적어로는 명사, 동명사, to부정
사가 올 수 있습니다.

▶ 4형식 문장은 [주어 + _____ + 간접목적어 + 직접목적어]로 이루어진 형태의 문장을 의미합니다. 수여
동사에는 _____(주다), send(보내다), _____(사다), make(만들다), _____(보여
주다), teach(가르치다), _____(묻다) 등이 있습니다.

▶ 간접목적어와 _____ 목적어의 위치를 바꿔 4형식 문장을 _____ 형식 문장으로 바꾸어 쓸 수
있습니다. 이때, 동사에 따라 간접목적어 앞에 전치사 _____, for 중 하나를 써야 합니다.
  · He gave me some money. → He _____ some money _____ me.
    그는 내게 돈을 좀 주었다.

Chapter 03 Vocabulary

다음 단어를 3번씩 더 쓰세요.

	단어	뜻	쓰기
01	break	깨뜨리다	break
02	call	부르다	call
03	difficult	어려운	difficult
04	dirty	더러운	dirty
05	exercise	운동	exercise
06	family	가족	family
07	health	건강	health
08	honest	정직한	honest
09	interview	면접	interview
10	liar	거짓말쟁이	liar
11	medicine	약	medicine
12	nervous	긴장한	nervous
13	quiet	조용한	quiet
14	regularly	규칙적으로	regularly
15	restaurant	식당	restaurant
16	ring	반지	ring
17	smile	미소 짓다	smile
18	special	특별한	special
19	sweater	스웨터	sweater
20	thief	도둑	thief

1 다음 우리말 뜻에 해당하는 영어 단어를 쓰세요.

01 약 → _____   02 가족 → _____

03 조용한 → _____   04 반지 → _____

05 도둑 → _____   06 정직한 → _____

07 긴장한 → _____   08 거짓말쟁이 → _____

09 깨뜨리다 → _____   10 규칙적으로 → _____

11 식당 → _____   12 면접 → _____

2 다음 우리말과 일치하도록 보기에서 알맞은 단어를 골라 쓰세요.

health   dirty   special   exercise   call

01 그 소년들은 벽을 더럽게 만들었다.

→ The boys made the wall _____.

02 그녀는 나의 생일을 특별하게 만들어줬다.

→ She made my birthday _____.

03 운동이 그녀를 건강하게 유지시킨다.

→ _____ keeps her healthy.

중요문법 요점정리

▶ 5형식 문장은 [주어 + 동사 + 목적어 + _____]로 이루어진 형태의 문장을 의미합니다.
목적격보어는 명사, 형용사, 동사원형, 동사+-ing 등으로 표현할 수 있습니다.

▶ 목적격보어가 _____인 경우
• He made her a _____. 그는 그녀를 피아니스트로 만들었다.

▶ 목적격보어가 _____인 경우
• She made me _____. 그녀는 나를 화나게 만들었다.

▶ see, watch, hear 등의 동사는 목적격보어로 _____ 또는 동사 + -ing가 올 수 있습니다.
• He saw her _____ a newspaper. 그는 그녀가 신문을 읽는 것을 보았다.

💧 다음 단어를 3번씩 더 쓰세요.

	단어	뜻	쓰기
01	cover	덮다	cover
02	crowded	붐비는	crowded
03	culture	문화	culture
04	decision	결정	decision
05	dirt	먼지	dirt
06	Germany	독일	Germany
07	guest	손님	guest
08	heart	중심	heart
09	locate	위치하다	locate
10	news	뉴스	news
11	novel	소설	novel
12	people	사람들	people
13	pleased	기쁜	pleased
14	result	결과	result
15	sand	모래	sand
16	street	거리	street
17	success	성공	success
18	surface	표면	surface
19	surprise	놀라게 하다	surprise
20	worried	걱정되는	worried

1 다음 우리말 뜻에 해당하는 영어 단어를 쓰세요.

01 소설 → _____ 02 결정 → _____

03 놀라게 하다 → _____ 04 걱정되는 → _____

05 표면 → _____ 06 중심 → _____

07 결과 → _____ 08 붐비는 → _____

09 기쁜 → _____ 10 손님 → _____

11 문화 → _____ 12 위치하다 → _____

2 다음 우리말과 일치하도록 보기에서 알맞은 단어를 골라 쓰세요.

> cover   street   success   Germany   sand

01 그 거리는 낙엽으로 덮여 있었다.

→ The _____ was covered with fallen leaves.

02 그는 나의 성공에 기뻐했다.

→ He was pleased with my _____.

03 그 상자는 모래로 가득 차 있다.

→ The box is filled with _____.

중요문법 요점정리

▶ 수동태는 [_____+행위자]가 아닌 다른 전치사가 붙는 중요한 표현들이 있습니다.

be interested _____	~에 관심이 있다	be written in + 언어	~로 쓰여 있다
be located in + 장소	~에 위치되어 있다	be made _____ + 장소	~에서 만들어지다
be covered _____	~로 덮이다	be filled with	~로 가득 차다
be filled with	~로 가득 차다	be worried _____	~에 대해 걱정하다
be surprised _____	~에 놀라다	be tired _____	~에 싫증나다, 지치다

다음 단어를 3번씩 더 쓰세요.

	단어	뜻	쓰기
01	abroad	해외에	abroad
02	contest	대회	contest
03	decide	결정하다	decide
04	foreign	외국의	foreign
05	holiday	휴일	holiday
06	hope	바라다	hope
07	important	중요한	important
08	language	언어	language
09	mask	마스크	mask
10	nothing	아무것	nothing
11	sell	팔다	sell
12	shower	샤워	shower
13	smoking	흡연	smoking
14	someone	누군가	someone
15	something	무언가	something
16	speech	말하기	speech
17	thing	것, 일	thing
18	visit	방문하다	visit
19	walk	산책시키다	walk
20	win	이기다	win

1 다음 우리말 뜻에 해당하는 영어 단어를 쓰세요.

01 해외에 → _____   02 대회 → _____

03 결정하다 → _____   04 외국의 → _____

05 휴일 → _____   06 바라다 → _____

07 중요한 → _____   08 언어 → _____

09 마스크 → _____   10 아무것 → _____

11 팔다 → _____   12 샤워 → _____

2 다음 우리말과 일치하도록 보기에서 알맞은 단어를 골라 쓰세요.

> someone   something   speech   thing   visit

01 그는 말하기 대회에서 1등 하기를 희망했다.

→ He hoped to win the first prize at the _____ contest.

02 먹을 것을 좀 주세요.

→ Please give me _____ to eat.

03 에이미는 그녀를 도울 누군가가 필요하다.

→ Amy needs _____ to help her.

중요문법 요점정리

▶ to부정사란 [to + _____] 형태로 문장 안에서, 명사 · _____ · 부사의 역할을 할 수 있습니다.

▶ [to + 동사원형]이 명사 역할로 문장에서 _____ 또는 _____, 보어 자리에 올 수 있습니다.
또한 to부정사의 부정형을 만들 때에는 _____ 을 [to + 동사원형] _____ 에 씁니다.

　· He decided _____ to play computer games. 그의 컴퓨터 게임을 하지 않기로 결심했다.

▶ [to + 동사원형]이 _____ 역할을 하여 명사나 대명사를 꾸며줍니다. 이때 to부정사는 명사나 대명사 _____ 에서 꾸며주며 '~할', '~하는' 등으로 해석합니다.

▶ to부정사가 형용사 역할을 할 때 _____ 와 함께하는 경우가 있습니다.

　· She needs a house to live _____. 그녀는 살 집이 필요하다.

💧 다음 단어를 3번씩 더 쓰세요.

	단어	뜻	쓰기
01	bake	굽다	bake
02	borrow	빌리다	borrow
03	disappointed	실망한	disappointed
04	everybody	모든 사람들	everybody
05	exam	시험	exam
06	excited	신이 난	excited
07	final	결승전	final
08	glad	기쁜	glad
09	hear	듣다	hear
10	leave	떠나다	leave
11	listen	듣다	listen
12	news	소식	news
13	pass	통과하다	pass
14	post office	우체국	post office
15	return	반납하다	return
16	save	모으다	save
17	surprised	놀란	surprised
18	truth	진실	truth
19	weight	몸무게	weight
20	wife	아내	wife

1 다음 우리말 뜻에 해당하는 영어 단어를 쓰세요.

01 몸무게 → _____ 　 02 반납하다 → _____

03 굽다 → _____ 　 04 아내 → _____

05 실망한 → _____ 　 06 통과하다 → _____

07 결승전 → _____ 　 08 우체국 → _____

09 기쁜 → _____ 　 10 듣다 → _____

11 소식 → _____ 　 12 시험 → _____

2 다음 우리말과 일치하도록 보기에서 알맞은 단어를 골라 쓰세요.

> borrow　　leave　　excited　　surprised　　everybody

01 그녀는 그 소식을 듣고서 놀랐다.

→ She was _____ to hear the news.

02 모든 사람이 진실을 알고서 기뻤다.

→ _____ was glad to know the truth.

03 그는 야구경기를 보게 되어서 신이 났다.

→ He was _____ to watch the baseball game.

중요문법 **요점정리**

▶ to부정사도 문장의 내용을 풍부하게 하는 _____의 역할을 할 수 있습니다. to부정사가 부사의 역할을 할 때에는 그 쓰임에 따라 _____, _____ 등으로 구별할 수 있습니다.

　• I went to the store _____ cheese. 나는 치즈를 사려고 상점에 갔다. (목적)

　• I am glad _____ _____ you. 나는 너를 보게 돼서 기쁘다. (원인)

▶ to부정사가 부사 역할을 하면서 '~하기 위해서', '~하려고'라고 해석되면 '_____'을 표현합니다. to부정사가 부사 역할을 할 때에는 주로 문장의 _____ 쪽에 위치합니다.

▶ to부정사가 주로 _____ 뒤에 위치하여 '~해서'라고 해석되면 '_____'을 표현합니다.

다음 단어를 3번씩 더 쓰세요.

	단어	뜻	쓰기
01	at night	밤에	at night
02	avoid	피하다	avoid
03	continue	계속하다	continue
04	decide	결정하다	decide
05	dream	꿈	dream
06	enjoy	즐기다	enjoy
07	forget	잊다	forget
08	give up	포기하다	give up
09	goal	목표	goal
10	hate	싫어하다	hate
11	lock	잠그다	lock
12	mind	꺼리다	mind
13	parcel	소포	parcel
14	pilot	비행기 조종사	pilot
15	remember	기억하다	remember
16	report	보고서	report
17	run after	쫓다	run after
18	thief	도둑	thief
19	until	~까지	until
20	waste	낭비	waste

1 다음 우리말 뜻에 해당하는 영어 단어를 쓰세요.

01 결정하다 → _____   02 포기하다 → _____

03 기억하다 → _____   04 도둑 → _____

05 보고서 → _____   06 ~까지 → _____

07 잊다 → _____   08 밤에 → _____

09 계속하다 → _____   10 쫓다 → _____

11 낭비 → _____   12 비행기 조종사 → _____

2 다음 우리말과 일치하도록 보기에서 알맞은 단어를 골라 쓰세요.

> parcel   mind   goal   dream   avoid

01 전 세계 여행을 하는 것이 나의 꿈이다.

→ To travel around the world is my _____.

02 나의 아버지는 소포 보내는 것을 잊으셨다.

→ My father forgot to send the _____.

03 나의 목표는 컴퓨터를 사기 위해 돈을 모으는 것이다.

→ My _____ is to save money to buy a computer.

중요문법 **요점정리**

▶ to부정사와 _____가 주어나 주격보어로 사용될 경우 서로 _____ 쓸 수 있습니다.

▶ to부정사를 목적어로 취하는 동사에는 _____(원하다), hope(희망하다), _____(계획하다), decide(결정하다), _____(기대하다), promise(약속하다) 등이 있습니다.

▶ 동명사를 목적어로 취하는 동사에는 finish(마치다), _____(즐기다), mind(꺼려하다), _____(포기하다), avoid(피하다), _____(유지하다) 등이 있습니다.

▶ 동명사 혹은 to부정사 둘 다 목적어로 취하는 동사에는 _____(사랑하다), like(좋아하다), _____(시작하다), start(시작하다), _____(싫어하다), continue(계속하다) 등이 있습니다.

▶ 동사 _____(멈추다), _____(잊다), _____(기억하다) 뒤에는 동명사 또는 to부정사가 모두 올 수 있는데, 각각 쓰임과 의미가 _____ 때문에 주의해야 합니다.

다음 단어를 3번씩 더 쓰세요.

	단어	뜻	쓰기
01	always	언제나	always
02	barking	짖는	barking
03	boring	지루한	boring
04	burning	불타는	burning
05	cook	요리사	cook
06	cross	건너다	cross
07	health	건강	health
08	homework	숙제	homework
09	interesting	재미있는	interesting
10	invite	초대하다	invite
11	job	직업	job
12	library	도서관	library
13	lovely	사랑스러운	lovely
14	magazine	잡지	magazine
15	music	음악	music
16	nurse	간호사	nurse
17	patient	환자	patient
18	rolling	구르는	rolling
19	shocking	놀라운	shocking
20	stone	돌	stone

1 다음 우리말 뜻에 해당하는 영어 단어를 쓰세요.

01	숙제	→ _____	02	음악	→ _____
03	환자	→ _____	04	지루한	→ _____
05	건강	→ _____	06	초대하다	→ _____
07	도서관	→ _____	08	직업	→ _____
09	놀라운	→ _____	10	잡지	→ _____
11	언제나	→ _____	12	불타는	→ _____

2 다음 우리말과 일치하도록 보기에서 알맞은 단어를 골라 쓰세요.

> interesting   cook   cross   rolling   lovely

01 이 책은 매우 흥미롭다.

→ This book is very _____.

02 그 잠자는 아기는 사랑스럽다.

→ The sleeping baby is _____.

03 그의 꿈은 요리사가 되는 것이다.

→ His dream is becoming a _____.

중요문법 요점정리

▶ 동명사와 _____는 둘 다 [동사원형 + -ing]로 같은 형태를 갖지만, 의미와 쓰임이 다릅니다.
동명사는 _____ 역할을 하는 반면, 현재분사는 _____ 역할을 합니다.
• My job is selling cars. (동명사) 나의 직업은 자동차를 판매하는 것이다.
• Do you know the man selling apples? (현재분사) 너는 사과를 판매하는 남자를 아니?
▶ _____는 문장 안에서 주어, 목적어, 보어로 사용될 수 있으며, '~하는 _____'으로 해석됩니다.
▶ 현재분사는 _____ 역할을 하여 명사를 앞이나 뒤에서 수식하거나 _____로 사용될 수 있으
며, 진행시제에도 사용됩니다.
특히, 현재분사가 뒤에 목적어나 수식어구 등과 함께 할 때에는 명사를 _____에서 수식합니다.

다음 단어를 3번씩 더 쓰세요.

	단어	뜻	쓰기
01	airport	공항	airport
02	already	이미	already
03	arrive	도착하다	arrive
04	break	깨뜨리다	break
05	cellphone	휴대전화	cellphone
06	depart	출발하다	depart
07	end	끝나다	end
08	England	영국	England
09	forget	잊다	forget
10	homework	숙제	homework
11	just	막	just
12	leave	떠나다	leave
13	letter	편지	letter
14	lose	잃어버리다	lose
15	movie	영화	movie
16	seat	자리	seat
17	someone	누군가	someone
18	spend	보내다	spend
19	spring	봄	spring
20	wallet	지갑	wallet

1 다음 우리말 뜻에 해당하는 영어 단어를 쓰세요.

01 이미 → _____   02 끝나다 → _____

03 도착하다 → _____   04 잊다 → _____

05 영화 → _____   06 보내다 → _____

07 잃어버리다 → _____   08 편지 → _____

09 자리 → _____   10 막 → _____

11 떠나다 → _____   12 누군가 → _____

2 다음 우리말과 일치하도록 보기에서 알맞은 단어를 골라 쓰세요.

> wallet   airport   spring   England   break

01 나는 영국에서 벌써 4년을 보냈다.

→ I have already spent four years in _____.

02 그녀는 막 공항에 도착했다.

→ She has just arrived at the _____.

03 데이비드는 그의 지갑을 찾았다.

→ David has found his _____.

중요문법 요점정리

▶ 현재완료란 [주어 + _____ [has] + _____]의 형태를 취하여, 과거의 일어난 일이 _____ 까지 계속해서 이어져 현재와 관련이 있다는 것을 표현할 때 사용합니다.

▶ 현재완료는 쓰임에 따라 완료, _____, 경험, _____ 이 있습니다. 먼저 '_____'란 과거에 시작한 일을 지금 막 마쳤거나 최근에 완료했을 때 사용하는 표현으로 just나 already와 함께 씁니다.

  · I have _____ finished my homework. 나는 막 숙제를 끝냈다.
  · We have _____ met her. 우리는 이미 그녀를 만났다.

▶ 현재완료의 쓰임 '_____'란 과거에 일어난 일이 _____까지 영향을 미치고 있음을 나타냅니다.

  · I _____ _____ my wallet. 나는 지갑을 잃어버렸다. (그래서 지금 지갑이 없다.)

다음 단어를 3번씩 더 쓰세요.

	단어	뜻	쓰기
01	before	전에	before
02	childhood	어린 시절	childhood
03	Chinese	중국어	Chinese
04	clean	청소하다	clean
05	concert	음악회	concert
06	diary	일기	diary
07	each other	서로	each other
08	French	프랑스의	French
09	guitar	기타	guitar
10	headache	두통	headache
11	hour	시간	hour
12	Japanese	일본어	Japanese
13	never	결코	never
14	once	한 번	once
15	since	~한 이후로	since
16	take care of	~을 돌보다	take care of
17	travel	여행하다	travel
18	twice	두 번	twice
19	work	일하다	work
20	young	어린	young

1 다음 우리말 뜻에 해당하는 영어 단어를 쓰세요.

01 두통 → _____ 02 서로 → _____

03 일하다 → _____ 04 여행하다 → _____

05 음악회 → _____ 06 전에 → _____

07 어린 시절 → _____ 08 시간 → _____

09 기타 → _____ 10 프랑스의 → _____

11 ～한 이후로 → _____ 12 일본어 → _____

2 다음 우리말과 일치하도록 보기에서 알맞은 단어를 골라 쓰세요.

> **young   once   never   Chinese   diary**

01 나는 어릴 때부터 일본어를 배우고 있다.

→ I have learn Japanese since I was _____.

02 그녀는 지난해부터 중국어를 공부해 왔다.

→ She has studied _____ since last year.

03 나는 서울에 가본 적이 없다.

→ I have _____ been to Seoul.

중요문법 요점정리

▶ 현재완료의 쓰임에는 완료, 결과 이외에 과거부터 현재까지의 '_____'을 나타낼 수도 있고 과거부터 현재까지의 어떤 동작이나 상태가 '_____' 이어지는 것을 표현할 수 있습니다.

  • I have been to Canada. 나는 캐나다에 가본 적이 있다. (경험)
  • I have studied English for two years. 나는 2년 동안 영어공부를 하고 있다. (계속)

▶ 현재완료 _____ 은 과거부터 현재까지의 경험이나 경험의 _____ 를 표현하며, 주로 ever, never, _____ (전에), _____ (한 번), three times 등과 함께 사용합니다.

▶ 현재완료 계속은 과거에 시작된 어떤 행동이나 상태가 현재까지 _____ 되고 있음을 표현하며, 주로 _____, since 등과 함께 사용합니다.

💧 다음 단어를 3번씩 더 쓰세요.

	단어	뜻	쓰기
01	ever	이전에	ever
02	famous	유명한	famous
03	finish	마치다	finish
04	guitar	기타	guitar
05	here	여기	here
06	homework	숙제	homework
07	hundred	100, 백	hundred
08	June	6월	June
09	letter	편지	letter
10	London	런던	London
11	marry	결혼하다	marry
12	museum	박물관	museum
13	never	결코	never
14	pack	짐을 싸다	pack
15	parents	부모	parents
16	receive	받다	receive
17	stay	머무르다	stay
18	suitcase	여행 가방	suitcase
19	volunteer	자발적인	volunteer
20	yet	아직	yet

1 다음 우리말 뜻에 해당하는 영어 단어를 쓰세요.

01 자발적인 → _____ 02 머무르다 → _____

03 짐을 싸다 → _____ 04 숙제 → _____

05 편지 → _____ 06 여행 가방 → _____

07 100, 백 → _____ 08 아직 → _____

09 박물관 → _____ 10 여기 → _____

11 유명한 → _____ 12 6월 → _____

2 다음 우리말과 일치하도록 보기에서 알맞은 단어를 골라 쓰세요.

> received   parents   never   finished   married

01 그녀는 결혼한 적이 없다.

→ She has never been _____ .

02 그녀는 아직 그녀의 일을 끝내지 못했다.

→ She has not _____ her work yet.

03 그녀는 아직 너의 편지를 받지 못했다.

→ She has not _____ your letter yet.

중요문법 요점정리

▶ 현재완료 문장을 의문문으로 만들려면 _____[has]를 문장 맨 _____으로 옮기고 문장 끝에 물음표를 붙입니다.

· _____ you ever been to Canada? 지금까지 살면서 캐나다에 가본 적이 있니?

▶ 의문사 How를 이용한 현재완료 의문문은 [How _____ + have[has] + 주어 + ever + 과거분사 ~?](얼마나 오래 ~하고 있니?)나 [How _____ times + have[has] + 주어 + 과거분사 ~?](얼마나 많이 ~ 했니?) 형태입니다.

▶ 현재완료 부정문은 [have/has + _____ + 과거분사]의 형태를 취하며, 축약형으로도 쓸 수 있습니다. _____은 '아직'이란 의미로 부정문을 만들 때 문장 끝에 붙여 사용합니다.

💧 다음 단어를 3번씩 더 쓰세요.

	단어	뜻	쓰기
01	a few	몇, 소수	a few
02	accident	사고	accident
03	ago	전에	ago
04	America	미국	America
05	because	때문에	because
06	child	아이	child
07	Europe	유럽	Europe
08	here	여기	here
09	Japanese	일본어	Japanese
10	learn	배우다	learn
11	night	밤	night
12	nothing	아무것	nothing
13	practice	연습하다	practice
14	respect	존경하다	respect
15	several	여러, 몇	several
16	sick	아픈	sick
17	vegetable	야채	vegetable
18	week	주, 일주일	week
19	year	연, 해	year
20	yesterday	어제	yesterday

1 다음 우리말 뜻에 해당하는 영어 단어를 쓰세요.

01 아픈 → _____ 02 연습하다 → _____

03 밤 → _____ 04 전에 → _____

05 때문에 → _____ 06 주, 일주일 → _____

07 연, 해 → _____ 08 아이 → _____

09 존경하다 → _____ 10 사고 → _____

11 여러, 몇 → _____ 12 미국 → _____

2 다음 우리말과 일치하도록 보기에서 알맞은 단어를 골라 쓰세요.

> here   a few   learn   vegetables   nothing

01 그녀는 2월부터 매일 야채를 먹고 있다.

→ She has eaten _____ every day since February.

02 나는 며칠 전에 그를 보았다.

→ I saw him _____ days ago.

03 마이크는 먹을 게 없어서 상점에 갔다.

→ Mike went to the store because he had _____ to eat.

중요문법 요점정리

▶ 현재완료시제는 과거와 _____ 를 모두 나타내고 있지만 과거시제는 _____ 만을 나타냅니다.
현재완료시제는 구체적인 _____ 를 나타내는 말(ago, yesterday, when)과 함께하지 않습니다.
· I have met him last week. (X) → I _____ him last week. 나는 그를 지난주에 만났다.

▶ since는 '～ 이후에', '～ 이후 지금까지 죽'의 의미로 _____ 또는 접속사로 사용할 수 있으며, 현재완료
시제에서는 since 다음에 구체적인 _____ 시제가 올 수 있습니다.
· I haven't seen her _____ last night. (전치사) 나는 지난밤 이후 그녀를 보지 못했다.
· I've lived here _____ I was ten. (접속사) 나는 10살 때부터 여기에 살고 있다.

다음 단어를 3번씩 더 쓰세요.

	단어	뜻	쓰기
01	bake	굽다	bake
02	blue jeans	청바지	blue jeans
03	borrow	빌리다	borrow
04	cross	건너다	cross
05	garden	정원	garden
06	grow	재배하다	grow
07	himself	그 자신	himself
08	know	알다	know
09	lots of	많은	lots of
10	magazine	잡지	magazine
11	next door	옆집	next door
12	paint	칠하다	paint
13	palace	궁	palace
14	popular	인기 있는	popular
15	season	계절	season
16	stage	무대	stage
17	sunglasses	선글라스	sunglasses
18	wear	입다	wear
19	woman	여자	woman
20	writer	작가	writer

1 다음 우리말 뜻에 해당하는 영어 단어를 쓰세요.

01 계절 → _____   02 옆집 → _____

03 굽다 → _____   04 재배하다 → _____

05 그 자신 → _____   06 많은 → _____

07 잡지 → _____   08 알다 → _____

09 칠하다 → _____   10 무대 → _____

11 선글라스 → _____   12 입다 → _____

2 다음 우리말과 일치하도록 보기에서 알맞은 단어를 골라 쓰세요.

> garden   popular   crossing   palace   writer

01 나는 장미가 많은 정원이 있다.

→ I have a _____ which has lots of roses.

02 나는 300년 전에 지어진 궁을 방문했다.

→ I visited the _____ which was built 300 years ago.

03 나는 길을 건너는 소년과 개를 보았다.

→ I saw a boy and a dog that were _____ the street.

중요문법 요점정리

▶ 관계대명사는 두 문장에 _____으로 들어간 단어(사람·사물·동물)를 이용하여 _____ 문장
으로 연결하는 역할을 합니다.

▶

  I know a boy. + He can speak English.

  → I know a boy who can speak English. 나는 영어로 말할 수 있는 한 소년을 알고 있다.

문장에서 a boy와 He는 같은 사람입니다. 이런 경우에 _____를 없애고 _____를 이용해서
한 문장으로 만들 수 있습니다. 여기서 _____가 '관계대명사'이며 _____가 '선행사'입니다.

▶ 관계대명사는 선행사가 사람일 때 _____, 선행사가 사물/동물일 때 _____, 선행사가 사람/
사물/동물일 때 _____을 씁니다.

다음 단어를 3번씩 더 쓰세요.

	단어	뜻	쓰기
01	bathroom	욕실	bathroom
02	chef	요리사	chef
03	fix	고치다	fix
04	flower	꽃	flower
05	hair	머리카락	hair
06	machine	기계	machine
07	many	많은	many
08	nice	친절한	nice
09	noise	소음	noise
10	often	자주, 종종	often
11	pasta	파스타	pasta
12	people	사람들	people
13	person	사람	person
14	problem	문제	problem
15	run away	도망가다	run away
16	solve	풀다	solve
17	stand	서다	stand
18	taste	맛이 나다	taste
19	under	～ 아래에	under
20	well	잘	well

1 다음 우리말 뜻에 해당하는 영어 단어를 쓰세요.

01 도망가다　→ _____ 02 기계　→ _____

03 서다　→ _____ 04 소음　→ _____

05 고치다　→ _____ 06 사람들　→ _____

07 요리사　→ _____ 08 ~ 아래에　→ _____

09 자주, 종종　→ _____ 10 문제　→ _____

11 풀다　→ _____ 12 욕실　→ _____

2 다음 우리말과 일치하도록 보기에서 알맞은 단어를 골라 쓰세요.

> person　well　hair　many　tastes

01 나는 중국어를 할 수 있는 사람이 필요하다.

→ I need a _____ who can speak Chinese.

02 그녀는 자주 맛이 좋은 피자를 만든다.

→ She often makes pizza which _____ good.

03 너의 도움이 필요한 많은 사람들이 있다.

→ There are _____ people who need your help.

중요문법 요점정리

▶ 관계대명사는 _____ 에 따라 사용하는 관계대명사가 다르고, 역할에 따라 _____, 소유격, _____으로 구분합니다. 관계대명사가 주어 역할을 하는 것을 _____ 관계대명사라고 합니다.

선행사	주격 관계대명사	목적격 관계대명사	소유격 관계대명사
사람	_____	who(m)	
_____, 동물	which	_____	whose
_____, 사물, 동물		that	

▶ 주격 관계대명사 다음에 오는 동사는 _____의 _____에 일치시켜야 합니다.

다음 단어를 3번씩 더 쓰세요.

	단어	뜻	쓰기
01	bicycle	자전거	bicycle
02	borrow	빌리다	borrow
03	camera	카메라	camera
04	correct	고치다	correct
05	country	나라	country
06	delicious	맛있는	delicious
07	dictionary	사전	dictionary
08	gift	선물	gift
09	introduce	소개하다	introduce
10	lady	여성, 숙녀	lady
11	mistake	실수	mistake
12	picture	사진	picture
13	receive	받다	receive
14	recommend	추천하다	recommend
15	remember	기억하다	remember
16	river	강	river
17	same	같은	same
18	sandwich	샌드위치	sandwich
19	subject	과목	subject
20	trust	신뢰하다	trust

1 다음 우리말 뜻에 해당하는 영어 단어를 쓰세요.

01 실수 → _____ 　　02 추천하다 → _____

03 받다 → _____ 　　04 소개하다 → _____

05 맛있는 → _____ 　　06 선물 → _____

07 같은 → _____ 　　08 사전 → _____

09 빌리다 → _____ 　　10 고치다 → _____

11 기억하다 → _____ 　　12 신뢰하다 → _____

2 다음 우리말과 일치하도록 보기에서 알맞은 단어를 골라 쓰세요.

> lady　camera　country　river　subject

01 그는 강 옆에서 찍은 사진들을 내게 보여줬다.

→ He showed me the pictures which he took by the _____.

02 이것이 그녀가 사기를 원하는 카메라이다.

→ This is the _____ that she wants to buy.

03 내가 가장 좋아하는 과목은 과학이다.

→ The _____ which I like most is science.

중요문법 요점정리

▶ 두 문장을 한 문장으로 만들 때 관계대명사가 목적어 역할을 하는 것을 _____ 관계대명사라고 합니다.
· This is the movie. I want to see the movie.
→ This is the movie _____ [that] I want to see. 이것이 내가 보고 싶은 영화다.

▶ 목적격 관계대명사 who(m)은 선행사가 _____ 일 때, which는 선행사가 _____ 일 때 사용하고, _____ 은 선행사가 사람, 사물, 동물일 때 모두 사용할 수 있습니다.

▶ 목적격 관계대명사는 _____ 할 수 있으며, 목적격 관계대명사는 문장에서 생략되어도 의미는 변하지 _____ 니다.

다음 단어를 3번씩 더 쓰세요.

	단어	뜻	쓰기
01	always	언제나	always
02	believe	믿다	believe
03	bench	벤치	bench
04	borrow	빌려오다	borrow
05	forget	잊다	forget
06	ghost	유령	ghost
07	handsome	잘생긴	handsome
08	honest	정직한	honest
09	important	중요한	important
10	lie	거짓말하다	lie
11	name	이름	name
12	need	필요하다	need
13	nurse	간호사	nurse
14	queen	여왕	queen
15	ring	반지	ring
16	safety	안전	safety
17	sit	앉다	sit
18	understand	이해하다	understand
19	woman	여성	woman
20	true	사실인	true

1 다음 우리말 뜻에 해당하는 영어 단어를 쓰세요.

01 이름 → _____ 02 유령 → _____

03 정직한 → _____ 04 앉다 → _____

05 여왕 → _____ 06 믿다 → _____

07 빌려오다 → _____ 08 중요한 → _____

09 잊다 → _____ 10 안전 → _____

11 언제나 → _____ 12 이해하다 → _____

2 다음 우리말과 일치하도록 보기에서 알맞은 단어를 골라 쓰세요.

> woman lying ring true handsome

01 나의 아빠는 이 이야기가 사실이라고 말했다.

→ My dad said the story was _____.

02 그는 너의 삼촌이 잘생겼다고 생각한다.

→ He thinks that your uncle is _____.

03 그는 내가 거짓말하는 것을 알았다.

→ He knew that I was _____.

중요문법 요점정리

▶ 관계대명사 what은 선행사를 포함하는 관계대명사이기 때문에 what 앞에는 _____가 올 수 없으며, '~하는 _____'으로 해석합니다.

• This is what I want. 이것이 내가 원하는 것이다.

▶ 관계대명사 what은 the thing _____ 또는 the thing that으로 바꿔 쓸 수 있습니다.

▶ 관계대명사 what은 [what + _____ + _____]의 형태로 주어, 목적어, 보어 자리에 올 수 있습니다.

▶ 관계대명사 that과 _____ that은 모두 문장과 문장을 _____하는 역할을 하지만 관계대명사 that은 뒤에 _____ 문장이 오고, 접속사 that은 뒤에 _____ 문장이 오며, '~것을', '~이라고'라고 해석합니다.

Vocabulary **Workbook**

Answers

Chapter 01

1 01 delicious 02 plan 03 market 04 become
05 subject 06 library 07 laugh 08 gym
09 scientist 10 favorite 11 leaf 12 boring

2 01 director 02 musician 03 loudly

중요문법 요점정리
▶ 동사 / 목적어 / 다섯
▶ 주어 / 동사
▶ be동사 / 주어
▶ 주격보어 / be동사
▶ 감각동사

Chapter 02

1 01 difficult 02 ask 03 math 04 help
05 yesterday 06 strange 07 gift 08 letter
09 email 10 question 11 flower 12 present

2 01 glasses 02 showed 03 sends

중요문법 요점정리
▶ 목적어
▶ 수여동사 / give / buy / show / ask
▶ 직접 / 3 / to / gave / to

Chapter 03

1 01 medicine 02 family 03 quiet 04 ring
05 thief 06 honest 07 nervous 08 liar
09 break 10 regularly 11 restaurant 12 interview

2 01 dirty 02 special 03 Exercise

중요문법 요점정리
▶ 목적격보어
▶ 명사 / pianist
▶ 형용사 / angry
▶ 동사원형 / read

Chapter 04

1 01 novel 02 decision 03 surprise 04 worried
05 surface 06 heart 07 result 08 crowded
09 pleased 10 guest 11 culture 12 locate

2 01 street 02 success 03 sand

중요문법 요점정리
▶ by / in / in / with / about / at / of

Chapter 05

1 01 abroad 02 contest 03 decide 04 foreign
05 holiday 06 hope 07 important 08 language
09 mask 10 nothing 11 sell 12 shower

2 01 speech 02 something 03 someone

중요문법 요점정리
▶ 동사원형 / 형용사
▶ 주어 / 목적어 / not / 앞 / not
▶ 형용사 / 뒤
▶ 전치사 / in

Chapter 06

1
01 weight	02 return	03 bake
04 wife	05 disappointed	06 pass
07 final	08 post office	09 glad
10 hear	11 news	12 exam

2   01 surprised   02 Everybody   03 excited

중요문법 요점정리
- ▶ 부사 / 목적 / 원인 / to buy / to see
- ▶ 목적 / 뒤
- ▶ 감정형용사 / 원인

Chapter 07

1
01 decide	02 give up	03 remember	04 thief
05 report	06 until	07 forget	08 at night
09 continue	10 run after	11 waste	12 pilot

2   01 dream   02 parcel   03 goal

중요문법 요점정리
- ▶ 동명사 / 바꿔
- ▶ want / plan / expect
- ▶ enjoy / give up / keep
- ▶ love / begin / hate
- ▶ stop / forget / remember / 다르기

Chapter 08

1
01 homework	02 music	03 patient
04 boring	05 health	06 invite
07 library	08 job	09 shocking
10 magazine	11 always	12 burning

2   01 interesting   02 lovely   03 cook

중요문법 요점정리
- ▶ 현재분사 / 명사 / 형용사
- ▶ 동명사 / 것
- ▶ 형용사 / 보어 / 뒤

Chapter 09

1
01 already	02 end	03 arrive	04 forget
05 movie	06 spend	07 lose	08 letter
09 seat	10 just	11 leave	12 someone

2   01 England   02 airport   03 wallet

중요문법 요점정리
- ▶ have / 과거분사 / 현재
- ▶ 결과 / 계속 / 완료 / just / already
- ▶ 결과 / 현재 / have lost

Chapter 10

1
01 headache	02 each other	03 work
04 travel	05 concert	06 before
07 childhood	08 hour	09 guitar
10 French	11 since	12 Japanese

2   01 young   02 Chinese   03 never

중요문법 요점정리
- ▶ 경험 / 계속
- ▶ 경험 / 횟수 / before / once
- ▶ 계속 / for

Chapter 11

1
01 volunteer	02 stay	03 pack
04 homework	05 letter	06 suitcase
07 hundred	08 yet	09 museum
10 here	11 famous	12 June

2   01 married   02 finished   03 received

중요문법 요점정리
- ▶ have / 앞 / Have
- ▶ long / many
- ▶ not / yet

Chapter 12

1 01 sick 02 practice 03 night 04 ago
05 because 06 week 07 year 08 child
09 respect 10 accident 11 several 12 America

2 01 vegetables 02 a few 03 nothing

중요문법 요점정리
▶ 현재 / 과거 / 과거 / met
▶ 전치사 / 과거 / since / since

Chapter 13

1 01 season 02 next door 03 bake
04 grow 05 himself 06 lots of
07 magazine 08 know 09 paint
10 stage 11 sunglasses 12 wear

2 01 garden 02 palace 03 crossing

중요문법 요점정리
▶ 공통 / 한
▶ He / 관계대명사 / who / a boy
▶ who / which / that

Chapter 14

1 01 run away 02 machine 03 stand 04 noise
05 fix 06 people 07 chef 08 under
09 often 10 problem 11 solve 12 bathroom

2 01 person 02 tastes 03 many

중요문법 요점정리
▶ 선행사 / 주격 / 목적격 / 주격
▶ who / 사물 / which / 사람 / that
▶ 선행사 / 수

Chapter 15

1 01 mistake 02 recommend 03 receive
04 introduce 05 delicious 06 gift
07 same 08 dictionary 09 borrow
10 correct 11 remember 12 trust

2 01 river 02 camera 03 subject

중요문법 요점정리
▶ 목적격 / which
▶ 사람 / 사물 / that
▶ 생략 / 않음

Chapter 16

1 01 name 02 ghost 03 honest
04 sit 05 queen 06 believe
07 borrow 08 important 09 forget
10 safety 11 always 12 understand

2 01 true 02 handsome 03 lying

중요문법 요점정리
▶ 선행사 / 것
▶ which
▶ 주어 / 동사
▶ 접속사 / 연결 / 불완전한 / 완전한

Longman

GRAMMAR
HOUSE
초등영문법

6

ANSWERS

P Pearson

✈ Answers

Chapter 01 문장의 5형식 I – 1형식/2형식 문장

Practice 1
p. 7

1
01 주어 / 동사 / 수식어
02 주어 / 동사 / (주격)보어
03 주어 / 동사 / 수식어
04 주어 / 동사 / (주격)보어
05 부사 / 동사 / 주어 / 수식어
06 주어 / 동사 / (주격)보어

Practice 2
p. 8

1
01 2형식 02 2형식 03 1형식 04 2형식
05 1형식 06 2형식 07 1형식 08 2형식
09 1형식 10 2형식 11 1형식 12 1형식

Practice 3
p. 9

1
01 (주격)보어 / 2형식
02 (주격)보어 / 2형식
03 동사 / 1형식
04 (주격)보어 / 2형식
05 (주격)보어 / 2형식
06 주어 / 1형식
07 (주격)보어 / 2형식
08 동사 / 1형식
09 동사 / 1형식
10 (주격)보어 / 2형식
11 (주격)보어 / 2형식
12 수식어 / 1형식

Chapter 02 문장의 5형식 II – 3형식/4형식 문장

Practice 1
p. 11

1
01 some apples / 3형식
02 my mother / 3형식
03 the door / 3형식
04 her, a pencil / 4형식
05 us, pasta / 4형식
06 a toy robot / 3형식
07 me, a bicycle / 4형식

해석 및 해설
01 나는 어제 사과를 좀 샀다.
02 나의 누나가 어머니를 도와준다.
03 그 남자가 문을 열었다.
04 그 소년이 그녀에게 연필을 줬다.
05 앨리스가 우리에게 파스타를 만들어줬다.
06 나는 지난밤에 로봇 장난감을 만들었다.
07 나의 아빠가 나에게 자전거를 사줬다.

Practice 2
p. 12

1
01 She gave some flowers to me.
02 He taught math to her.
03 I made pizza for him.
04 She bought a cap for her son.
05 Sara showed her watch to me.
06 Did you send a Christmas card to her?
07 I will give a birthday present to you.
08 My dad found my glasses for me
09 He teaches English to us
10 My father sent a card to me last week.
11 She cooked dinner for him.
12 Cathy wrote a letter to him.

해석 및 해설
01 그녀는 나에게 꽃을 좀 주었다.
02 그는 그녀에게 수학을 가르쳐줬다.
03 나는 그에게 피자를 만들어줬다.
04 그녀는 아들에게 모자를 사줬다.
05 사라는 나에게 그녀의 시계를 보여줬다.
06 너는 그녀에게 크리스마스 카드를 보냈니?
07 나는 너에게 생일 선물을 줄 것이다.
08 나의 아빠가 나에게 내 안경을 찾아줬다.
09 그는 우리에게 영어를 가르친다.
10 나의 아버지가 지난주에 나에게 카드를 보내주셨다.
11 그녀는 그에게 저녁을 요리해 줬다.
12 캐시는 그에게 편지를 썼다.

Practice 3
p. 13

1
01 I showed my room to my friends.
02 My mom bought a nice gift for me.
03 She asked me a strange question.
04 My uncle teaches them English.
05 Sam will write his mom a birthday card.

2
01 to / 그는 나에게 그의 장갑을 줬다.
02 for / 나는 그에게 자전거를 사줄 것이다.
03 to / 그녀는 매일 그에게 이메일을 보낸다.
04 to / 캐시는 그들에게 그녀의 사진들을 보여주었다.
05 for / 나는 여동생에게 연을 만들어줬다.

Chapter 03 문장의 5형식 Ⅲ – 5형식 문장

Practice 1
p. 15

1
01 5형식	02 4형식	03 4형식	04 5형식
05 5형식	06 4형식	07 5형식	08 4형식
09 5형식	10 5형식	11 5형식	12 5형식

Practice 2
p. 16

1
01 그는 나를 거짓말쟁이로 불렀다. / me / a liar
02 나는 그녀가 우는 것을 들었다. / her / crying
03 그는 나를 미소 짓게 만든다. / me / smile
04 나의 어머니는 내가 규칙적으로 수영하게 만드신다.
  / me / swim
05 그 스웨터는 그녀를 따뜻하게 만들었다. / her / warm
06 그것은 물을 오랫동안 뜨겁게 유지시킨다. / the water / hot
07 선생님은 교실을 깨끗하게 만들었다. / the classroom / clean
08 그 소년은 어머니를 화나게 했다. / his mother / angry
09 그 소년들은 벽을 더럽게 만들었다. / the wall / dirty
10 운동이 그녀를 건강하게 유지시킨다. / her / healthy
11 나는 그가 창문을 깨뜨리는 것을 보았다.
  / him / break the window
12 그 면접은 그녀를 긴장하게 만들었다. / her / nervous

Practice 3
p. 17

1
| 01 happy | 02 quiet | 03 healthy | 04 dance |
| 05 sad |

2
01 We found the test difficult.
02 She calls her dog Max.
03 I thought him honest.
04 They made her busy.
05 This coat will keep you warm.

Chapter 04 by 이외의 수동태

Practice 1
p. 19

1
| 01 at | 02 in | 03 in | 04 with |
| 05 in | 06 about | 07 with | 08 of |
| 09 with |

Practice 2
p. 20

1
01 in	02 with	03 in	04 with
05 with	06 at	07 about	08 in
09 of	10 with	11 with	12 with

Practice 3
p. 21

1
01 is filled with	02 is interested in
03 is worried about	04 were satisfied with
05 am tired of	

2
01 is crowded with	02 was written by
03 are covered with	04 was pleased with
05 were surprised at	

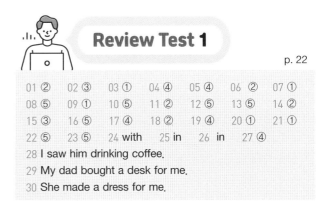

Review Test 1
p. 22

01 ②	02 ③	03 ①	04 ④	05 ④	06 ②	07 ①
08 ⑤	09 ①	10 ⑤	11 ②	12 ⑤	13 ⑤	14 ②
15 ③	16 ⑤	17 ④	18 ②	19 ④	20 ①	21 ①
22 ⑤	23 ⑤	24 with	25 in	26 in	27 ④	

28 I saw him drinking coffee.
29 My dad bought a desk for me.
30 She made a dress for me.

해석 및 해설
01 ② 제인은 행복해 보인다.
  * 2형식 문장에서 주격보어로는 명사나 형용사가 나옵니다.
02 ① 그는 교사이다.
  ② 이것이 맛이 더 좋다.
  ④ 태양은 동쪽에서 뜬다.
  ⑤ 네 형은 외로워 보인다.
03 ② 그것은 맛이 좋다.
  ③ 그녀는 친절해 보인다.
  ④ 나는 기분이 좋다.
  ⑤ 그 음식 냄새는 끝내준다.
04 ① 나는 그와 얘기하는 것을 좋아한다.
  ② 그녀는 아름다운 드레스를 입고 있다.
  ③ 우리는 그들이 노래하는 것을 보았다.
  ④ 내일은 나의 생일이다.
  ⑤ 그는 나에게 케이크를 사줬다.
05 ① 그는 슬퍼 보인다.
  ② 그녀는 당근을 좋아한다.
  ③ 캐시는 학생이다.
  ④ 그녀는 노래를 잘한다.
  ⑤ 그는 나에게 연필을 줬다.
06 ① 책상에 책이 있다.
  ② 그녀는 책 읽는 것을 좋아한다.
  ③ 그들은 오늘 바빠 보인다.
  ④ 나는 오늘 기분이 좋다.

⑤ 이것은 나의 가방이 아니다.

07 ① 나는 제인에게 그 책을 줬다.

② 그녀는 나에게 그것을 줬다.

③ 그는 지난주에 흡연을 포기했다.

④ 나는 역에 뛰어갔다.

⑤ 그녀는 맛있는 음식을 좀 만들었다.

08 그 파스타는 냄새가 좋다.

너는 오늘 좋아 보인다.

09 ② 그 고기는 냄새가 안 좋다.

③ 그 노래는 아름답게 들린다.

④ 피터는 어제 피곤했다.

⑤ 그들은 오랫동안 행복하게 살았다.

*2형식 문장에서 [look+형용사]는 '～인 것 같다'라는 의미입니다.

10 ① 저 개는 친절해 보인다.

② 그 수프는 맛있는 냄새가 난다.

③ 저 음악은 사랑스럽다.

④ 이 드레스는 부드럽다.

*[look+형용사]는 '～인 것 같다'라는 의미입니다.

11 ① 나의 아빠는 나에게 돈을 좀 주셨다.

③ 그것을 네 친구들에게 보여줘라.

④ 그녀는 지난주에 나에게 카드를 보냈다.

⑤ 그는 그녀에게 가방을 사줬다.

*동사 teach는 전치사 to를 사용합니다.

12 ① 나는 한 달에 한 번 그에게 편지를 쓴다.

② 커피 한 잔 주세요.

③ 나는 그들에게 음악을 가르칠 것이다.

④ 나에게 저 카메라를 사줄래?

*동사 send는 전치사 to를 사용합니다.

13 그는 나에게 저녁을 만들어줬다.

그녀는 나에게 모자를 주었다.

14 ① 그는 그녀에게 꽃을 좀 주었다.

② 나는 그에게 자전거를 사줄 것이다.

③ 그녀는 그에게 이메일을 보냈다.

④ 네 사진들을 나에게 보여줘.

⑤ 그는 나에게 웃기는 이야기를 말했다.

*동사 buy는 전치사 for를 사용합니다.

15 ① 테드는 나에게 그의 시계를 보여줬다.

② 그 편지를 제이크에게 보내주세요.

③ 그녀는 우리에게 저녁을 요리해 줄 것이다.

④ 그녀는 나에게 연을 주었다.

⑤ 제인은 그녀에게 생일 카드를 써줬다.

*동사 cook은 전치사 for를 사용합니다.

16 고양이가 식탁 위에 있다.

① 이것은 당근이다.

② 나는 축구하는 것을 좋아한다.

③ 제임스는 나의 이름을 잊었다.

④ 그녀는 어제 많은 사진을 찍었다.

⑤ 은행 옆에 빵집이 있다.

*보기는 1형식 문장이고, There is/are로 시작하는 문장도 1형식입니다.

17 제이미는 슬퍼 보인다.

① 나는 어제 그와 대화했다.

② 그녀는 반바지를 입고 있다.

③ 우리는 그들이 그 건물을 찾는 것을 도왔다.

④ 오늘은 잭의 생일이다.

⑤ 그는 나에게 박물관 가는 길을 보여줬다.

*보기는 2형식 문장입니다.

18 나는 피자를 좋아한다.

① 그 사과파이는 맛있다.

② 내 친구들은 수영을 좋아한다.

③ 그들은 그가 공원에 뛰어가는 것을 보았다.

④ 그는 매일 박물관에 간다.

⑤ 나의 엄마는 나에게 동전들을 좀 주셨다.

*보기는 3형식 문장입니다.

19 그는 나를 거짓말쟁이라고 불렀다.

① 그녀는 나에게 컴퓨터를 사줬다.

② 그 소년은 과학자가 되었다.

③ 그들은 정오에 점심식사를 한다.

④ 그는 나를 행복하게 만든다.

⑤ 에이미는 어제 바빴다.

*보기는 5형식 문장입니다.

20 그 책은 한국어로 쓰였다.

21 우리는 그 소식에 놀랐다.

22 그 도로는 눈으로 덮여 있다.

23 *see, watch, hear 등이 동사로 쓰일 때 목적격보어로 동사원형 또는 [동사+-ing]가 올 수 있습니다

27 ① 나는 그에게 질문을 했다.

② 나의 아버지는 나에게 파스타를 요리해 주셨다.

③ 그들은 그녀에게 치즈를 좀 주었다.

④ 그는 그의 개를 맥스라고 불렀다.

⑤ 그녀는 그에게 휴대전화를 사줬다.

*④는 5형식 문장입니다.

[29~30] 그는 나에게 책을 주었다.

29 나의 아빠는 나에게 책상을 사주셨다.

30 그녀는 나에게 드레스를 만들어줬다.

Chapter 05 to부정사의 용법 I – 명사/형용사 역할

Practice 1   p. 27

1 01 명사 02 형용사 03 명사 04 명사
  05 형용사 06 명사 07 명사 08 형용사

Practice 2   p. 28

1 01 to take 02 to get up 03 to talk 04 to have
  05 to go 06 to spend 07 to give 08 to study
  09 To learn 10 to wash

Practice 3   p. 29

1 01 형용사 / 나는 오늘 할 일이 많다.
  02 형용사 / 그는 함께 놀 친구가 없다.
  03 명사 / 나는 자전거 타는 것을 좋아한다.
  04 명사 / 그는 말하기 대회에서 1등 하기를 희망했다.
  05 명사 / 말 타는 것은 재미있다.
  06 형용사 / 나는 읽을 책이 필요하다.
  07 명사 / 나의 엄마는 새 자동차를 사기로 결심했다.
  08 명사 / 그 개를 매일 산책시키는 것이 나의 일이다.
  09 형용사 / 나는 컴퓨터를 살 돈이 없다.
  10 형용사 / 에이미는 그녀를 도울 누군가가 필요하다.
  11 명사 / 나는 탄산음료를 마시고 싶다.
  12 명사 / 그녀는 마스크를 쓰는 것을 좋아하지 않는다.

Chapter 06 to부정사의 용법 II – 부사 역할

Practice 1   p. 31

1 01 원인 02 원인 03 목적 04 목적
  05 원인 06 목적 07 목적 08 목적
  09 목적 10 원인 11 원인 12 목적

Practice 2   p. 32

1 01 to visit 02 to lose 03 to buy
  04 to practice 05 to catch 06 to win
  07 to fail 08 to lose 09 to trouble
  10 to hear

Practice 3   p. 33

1 01 목적 / 나는 새 컴퓨터를 사기 위해 돈을 모으고 있다.
  02 원인 / 학교에 지각해서 미안합니다.
  03 목적 / 우리는 그녀의 노래를 듣기 위해 이곳에 왔다.
  04 목적 / 나는 살을 빼기 위해 매일 조깅을 한다.
  05 목적 / 그는 부인에게 주기 위해 꽃을 샀다.
  06 목적 / 제인은 수학시험에 통과하기 위해 열심히 공부했다.
  07 원인 / 모든 사람이 진실을 알고서 놀랐다.
  08 목적 / 그는 책을 빌리기 위해 도서관에 가고 있다.
  09 원인 / 에이미는 존과 함께 저녁식사를 해서 기뻤다.
  10 원인 / 우리는 그 소식을 들어서 기쁘다.
  11 목적 / 그녀는 엄마를 만나기 위해 카페에 갔다.
  12 원인 / 데이비드는 시계를 잃어버려서 슬펐다.

Chapter 07 to부정사와 동명사

Practice 1   p. 35

1 01 to snow 02 learning
  03 meeting 04 to save / saving
  05 to listen 06 writing

Practice 2   p. 36

1 01 began running after the thief
  02 to work for a long time
  03 Playing computer games
  04 singing in front of people
  05 teaching English

해석 및 해설

01 그녀는 도둑을 쫓기 시작했다.
02 그는 오랫동안 일을 계속했다.
03 컴퓨터 게임을 하는 것은 시간 낭비다.
04 그는 사람들 앞에서 노래하는 것을 싫어한다.
05 그녀의 일은 영어를 가르치는 것이다.

2 01 watching 02 to buy 03 to lock
  04 seeing 05 to drink

Practice 3   p. 37

1 01 riding 02 to visit 03 opening
  04 meeting 05 to jog / jogging 06 smoking
  07 to buy 08 to buy / buying 09 to send
  10 ○ 11 painting 12 ○

Answers **41**

Chapter **08** 동명사와 현재분사

Practice **1** p. 39

1
01 동명사	02 현재분사	03 현재분사	04 동명사
05 동명사	06 동명사	07 현재분사	08 현재분사
09 동명사	10 현재분사	11 동명사	12 현재분사

Practice **2** p. 40

1
01 잠자는 아기   02 구르는 돌   03 지루한 영화
04 불타는 집   05 놀라운 소식   06 짖고 있는 개
07 길을 건너는 소녀들   08 도서관에서 공부하는 학생들
09 소파에서 자는 고양이   10 은행에서 일하는 여성
11 나무에 앉아 있는 새   12 잡지를 읽고 있는 여성
13 환자들을 돌보는 간호사   14 설거지하는 남자
15 나에게 짖는 개

Practice **3** p. 41

1
01 나는 요리하는 것을 좋아한다.
02 나의 직업은 책을 파는 것이다.
03 나는 피아노를 치고 있는 소녀를 좋아한다.
04 길을 건너고 있는 여성은 나의 어머니이다.
05 하늘은 날고 있는 새들을 봐라.
06 나를 파티에 초대해 줘서 고맙다.
07 흡연은 너의 건강에 좋지 않다.
08 너는 저 우는 소년을 아니?
09 그 잠자는 아기는 사랑스럽다.
10 그녀는 영어를 잘한다.
11 그들은 지금 라디오를 듣고 있다.
12 나는 그가 피자 만드는 것을 봤다.

Review Test 2 p. 42

01 ⑤   02 ②   03 ④   04 ⑤   05 ①   06 ②   07 ③
08 ②   09 to buy   10 to meet   11 ①   12 ②   13 ③
14 ③   15 ②   16 ④   17 to turn off   18 taking
19 crossing / cross   20 ③   21 ④   22 ②   23 ⑤
24 ⑤   25 ③   26 ②
27 나는 개를 산책시키기 위해 공원에 갔다.   28 seeing
29 to lose   30 the boy listening to music

해석 및 해설

01 마실 것 좀 드릴까요?
　① 나는 많은 친구를 만들기를 원한다.
　② 나는 너를 봐서 행복하다.
　③ 그는 어머니를 만나기 위해 공원에 갔다.

　④ 나의 꿈은 영어를 마스터하는 것이다.
　⑤ 나는 그녀에게 읽을 책을 줬다.
　*보기 to부정사는 형용사 역할을 하고 있습니다.

02 잭은 영화 보는 것을 즐긴다.
　① 그는 거실에서 자고 있다.
　② 나는 우표 모으는 것을 좋아한다.
　③ 그의 별명은 날아가는 돼지다.
　④ 나는 저기서 수영하고 있는 남자를 안다.
　⑤ 나는 지금 교회에 가고 있다.
　*보기의 동명사는 목적어 역할을 하고 있습니다.

03 ① 나는 언제나 읽을 책을 가지고 있다.
　② 우리는 마실 것이 아무것도 없다.
　③ 런던에는 볼 많은 장소들이 있다.
　④ 제인은 만화책 읽는 것을 좋아한다.
　⑤ 그녀는 만날 중요한 사람들이 좀 있다.
　*④는 to부정사가 명사(목적어) 역할을 하고 있습니다.

04 ① 그의 일은 꽃을 파는 것이다.
　② 그는 흡연을 그만하기로 결정했다.
　③ 나는 그 영화를 보고 싶지 않다.
　④ 제인은 축구하는 것을 좋아한다.
　⑤ 나는 샤워할 시간이 없다.
　*⑤는 to부정사가 형용사 역할을 하고 있습니다.

11 *빈칸에는 목적어로 to부정사가 오는 동사가 와야 합니다.

12 *빈칸에는 목적어로 동명사가 오는 동사가 와야 합니다.

13 나는 그 시험에 통과하기 위해 열심히 공부했다.
　① 나는 많은 친구들을 만나기를 원한다.
　② 너를 봐서 행복하다.
　③ 나는 친구를 만나기 위해 카페에 갔다.
　④ 나의 꿈은 가수가 되는 것이다.
　⑤ 나는 그녀에게 읽을 책을 빌렸다.
　*보기의 to부정사는 부사 용법으로 목적을 나타냅니다.

14 그는 그 경기를 져서 슬펐다.
　① 나는 의사가 되고 싶다.
　② 나는 할 일이 많다.
　③ 나는 그 소식을 들어서 기쁘다.
　④ 나는 친구를 만나기 위해 나갔다.
　⑤ 그는 무언가 먹을 것을 원한다.
　*보기는 to부정사 부사 용법으로 원인을 나타냅니다.

20 ① 컴퓨터 게임을 하는 것은 신난다.
　② 내 취미는 컴퓨터 게임을 하는 것이다.
　③ 그들은 컴퓨터 게임을 하고 있다.
　④ 주제는 컴퓨터 게임을 하는 것이다.
　⑤ 나는 컴퓨터 게임을 하는 것을 좋아한다.
　*③은 현재진행형으로 쓰인 현재분사이고 나머지는 동명사입니다.

21 ① 보는 것이 믿는 것이다.

② 야구하는 것은 내 삶이다.

③ 나의 아빠는 공포영화 보는 것을 좋아하신다.

④ 무대에서 노래하는 남자를 봐라.

⑤ 일요일마다 제인은 자전거 타는 것을 즐긴다.

*④는 man을 수식하는 형용사 역할을 합니다.

22 ① 내 누나는 해변을 따라 달리고 있다.

② 나는 시험 보는 것을 싫어한다.

③ 너는 개를 산책시키는 소녀를 아니?

④ 하늘에서 날고 있는 새들을 봐라.

⑤ 책을 읽고 있는 소년은 내 아들이다.

*②는 동명사로 목적어 역할을 합니다.

24 제인은 함께 놀 많은 친구들이 있다.

너는 가지고 쓸 펜이 필요하니?

25 그는 다른 사람들 앞에서 노래했던 것을 기억했다.

*동명사를 목적어로 취할 수 있는 동사를 고르세요.

26 ① 갑자기 비가 내리기 시작했다.

② 그는 매일 학교에 걸어갔다.

③ 나는 오늘 먹을 게 하나도 없다.

④ 그 가수는 계속해서 노래했다.

⑤ 너는 마실 게 있니?

*②에서 to는 전치사로 뒤에 명사가 옵니다.

Chapter 09 현재완료 I – 완료/결과

Practice 1
p. 47

1 01 has / arrived　02 has come　03 has gone
04 has / departed　05 have / had　06 has lost
07 have forgotten

Practice 2
p. 48

1 01 finished　02 read　03 left　04 lost
05 had　06 washed　07 found　08 arrived
09 gone　10 broken

Practice 3
p. 49

1 01 그녀는 이미 점심식사를 마쳤다.
02 봄이 왔다.
03 그녀는 막 집에 돌아왔다.
04 나는 영국에서 벌써 4년을 보냈다.
05 그는 막 피아노를 연주했다.

2 01 My dad has bought a new computer.
02 Someone has taken my seat.
03 The movie has just ended.
04 He has left his bag on the train.
05 She has just arrived in Seoul.

Chapter 10 현재완료 II – 경험/계속

Practice 1
p. 51

1 01 계속　02 경험　03 경험　04 계속
05 경험　06 경험　07 경험　08 경험
09 계속　10 계속　11 경험　12 계속

Practice 2
p. 52

1 01 for　02 since　03 for　04 since
05 for

2 01 have learned　02 has been　03 has taken
04 have played　05 has never eaten

Practice 3
p. 53

1 01 나는 2018년부터 한국에서 살고 있다.
02 우리는 어린 시절 이후로 서로 알고 지낸다.
03 나는 어제부터 두통이 있다.
04 그녀는 3시간 동안 TV를 보고 있다.
05 그는 중국에 4번 가본 적이 있다.
06 우리는 기차여행을 해본 적이 없다.
07 나는 전에 그 영화를 본 적이 있다.
08 그는 그녀를 전에 만난 적이 있다.
09 나의 엄마는 2010년부터 그 은행에서 일하고 계신다.
10 그녀는 2시간 동안 집 청소를 하고 있다.
11 그들은 5시부터 컴퓨터 게임을 하고 있다.
12 나는 전에 멕시코 음식을 먹어본 적이 없다.

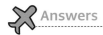 **Answers**

Chapter 11 현재완료 Ⅲ – 부정문과 의문문

Practice 1
p. 55

1
01 Has he lived here for a long time?
02 I haven't[have not] been to London.
03 Has he met a famous singer?
04 Has he met your parents?
05 I haven't[have not] watched TV since 1 o'clock.
06 Has she studied English since May?
07 Has she gone to the museum?
08 Sam hasn't[has not] finished his homework yet.
09 Have you worked here since 2015?

해석 및 해설
01 그는 오랫동안 여기 살고 있다.
02 나는 런던에 가본 적이 있다.
03 그는 유명한 가수를 만난 적이 있다.
04 그는 네 부모님을 만났다.
05 나는 1시부터 TV를 보고 있다.
06 그녀는 5월부터 영어 공부를 하고 있다.
07 그녀는 박물관에 가버렸다.
08 샘은 그의 숙제를 마쳤다.
09 너는 2015년 이래로 여기서 일하고 있다.

Practice 2
p. 56

1
01 How long
02 How long
03 How many times
04 How many times
05 How long

해석 및 해설
01 A: 그녀는 얼마나 오랫동안 기타를 치고 있니?
　 B: 그녀는 3시간 동안 기타를 치고 있어.
02 A: 그녀는 얼마나 오랫동안 영어를 공부하고 있니?
　 B: 그녀는 6월부터 영어 공부를 하고 있어.
03 A: 너는 그 책을 얼마나 많이 읽었니?
　 B: 나는 그 책을 100번 읽었어.
04 A: 너는 얼마나 많이 뉴욕에 가봤니?
　 B: 나는 거기 두 번 가봤어.
05 A: 그는 얼마나 오랫동안 여기서 일했니?
　 B: 그는 2달 동안 여기서 일했어.

2
01 난 아직 여행 가방을 다 못 쌌다.
02 너는 여기서 얼마나 오랫동안 일하고 있니?
03 그가 그녀를 얼마나 오랫동안 알고 있니?
04 너는 전에 그녀를 만난 적이 있니?
05 그녀는 아직 너의 편지를 받지 못했다.

Practice 3
p. 57

1
01 have never been to Paris
02 How long have you stayed
03 How long have you worked
04 Have you ever met a movie star
05 have never done volunteer work
06 He has not seen his uncle since
07 How many times have you eaten
08 has never been married
09 How long has she studied
10 has not finished her work yet
11 Have you had Korean food
12 They have not had pizza for

Chapter 12 현재완료시제와 과거시제

Practice 1
p. 59

1
01 come
02 have learned
03 was
04 visited
05 been
06 didn't see
07 finished
08 lost
09 have lived
10 has known
11 have worked
12 met

Practice 2
p. 60

1
01 He saw the movie last week.
02 We came here yesterday.
03 When did you meet her?
04 I told her about the accident two hours ago.
05 They have learned Japanese since they were young.
06 He was in Europe in 2020.
07 I haven't seen her since last month.
08 It has rained since last night.
09 Mike went to the store because he had nothing to eat.
10 David lived there three years ago.
11 We haven't eaten anything since yesterday.
12 Susan bought a new computer last week.

해석 및 해설
01 그는 지난주에 영화를 봤다.
02 우리는 어제 여기 왔다.

03 너는 언제 그녀를 만났니?

04 나는 2시간 전에 그 사고에 대해 그녀에게 말했다.

05 그들은 어렸을 때부터 일본어를 배웠다.

06 그는 2020년에 유럽에 있었다.

07 나는 지난달 이후로 그녀를 보지 못했다.

08 지난밤부터 비가 내렸다.

09 마이크는 먹을 게 없어서 상점에 갔다.

10 데이비드는 3년 전에 그곳에 살았다.

11 우리는 어제 이후로 아무것도 먹지 못했다.

12 수잔은 지난주에 새 컴퓨터를 샀다.

Practice 3
p. 61

1 01 finished　02 have lived　03 went
04 have been　05 has eaten　06 practiced
07 worked　08 haven't seen　09 saw
10 came　11 has respected　12 bought

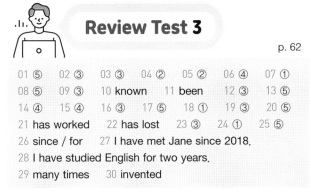

Review Test 3
p. 62

01 ⑤　02 ③　03 ③　04 ②　05 ②　06 ④　07 ①
08 ⑤　09 ③　10 known　11 been　12 ③　13 ⑤
14 ④　15 ④　16 ③　17 ⑤　18 ①　19 ③　20 ⑤
21 has worked　22 has lost　23 ③　24 ①　25 ⑤
26 since / for　27 I have met Jane since 2018.
28 I have studied English for two years.
29 many times　30 invented

해석 및 해설

04 ① 나는 오랫동안 너를 보지 못했다.

　③ 너는 지난주에 동물원에 갔니?

　④ 존은 작년에 한국을 방문했다.

　⑤ 어떻게 지냈니?

　*현재완료시제는 구체적인 과거를 나타내는 말과 함께 쓰지 않습니다.

05 너는 제주도에 가 본 적이 있니?

06 ① 메리는 5년 동안 여기서 살고 있다. (계속)

　② 베이커 씨는 벌써 가버렸다. (완료)

　③ 나는 숙제를 막 끝냈다. (완료)

　④ 나는 하와이에 가 본 적이 없다. (경험)

　⑤ 나는 내 시계를 잃어버렸다. (결과)

　*보기는 현재완료 경험을 나타냅니다.

07 ① 그녀는 그녀의 시계를 잃어버렸다. (결과)

　② 그녀는 보고서를 막 끝냈다. (완료)

③ 나는 이미 그 차를 세차했다. (완료)

④ 마이크는 10년 동안 여기서 살고 있다. (계속)

⑤ 그녀는 작년 이후로 그녀에게 영어를 가르치고 있다. (계속)

*보기는 현재완료 결과를 나타냅니다.

08 ① 나는 전에 하와이에 대해 들었다. (경험)

　② 그는 저 영화를 두 번 보았다. (경험)

　③ 너는 존을 만난 적이 있니? (경험)

　④ 제인은 캐나다로 가버렸다. (결과)

　⑤ 나는 오랫동안 하이킹을 즐겨왔다. (계속)

　*보기는 현재완료 계속을 나타냅니다.

09 *break의 과거분사형은 broken입니다.

15 그는 그 영화를 본 적이 있다.

16 ③ 제인은 이미 그녀의 숙제를 끝냈다.

17 ⑤ 나는 이미 빨래를 마쳤다.

　*현재완료시제는 구체적인 과거를 나타내는 말과 함께 쓰지 않습니다.

18 ① 사라는 그녀의 배낭을 잃어버렸다. (결과)

　② 나는 작년부터 그녀를 만나왔다. (계속)

　③ 너는 그 영화를 본 적이 있니? (경험)

　④ 나는 이 책을 세 번 읽었다. (경험)

　⑤ 나는 막 편지를 썼다. (완료)

19 ① 나는 전에 제임스를 본 적이 없다.

　② 그녀는 캐나다에 한 번 가봤다.

　③ 그는 3년 동안 한국에서 살고 있다. (계속)

　④ 너는 이 음악을 들어본 적 있니?

　⑤ 케빈은 이것을 여러 번 해봤다.

20 ① 나는 3년 동안 영어를 공부해 왔다. (계속)

　② 나는 얼룩말은 본 적이 없다. (경험)

　③ 그는 파리에 가버렸다. (결과)

　④ 서울에 가본 적이 있니? (경험)

　⑤ 나는 막 숙제를 끝냈다. (완료)

23 그는 지난주부터 죽 아팠다.

24 ① 그녀는 인도에 가버렸다. (결과)

　② 나는 전에 그녀를 만난 적이 있다. (경험)

　③ 나는 프랑스에 가본 적이 없다. (경험)

　④ 이 영화를 본 적이 있니? (경험)

　⑤ 나는 그의 엄마와 여러 번 이야기했다. (경험)

25 ① 그는 호랑이를 본 적이 없다. (경험)

　② 나는 홍콩에 가본 적이 있다. (경험)

　③ 우리는 저 식당에서 저녁을 먹은 적이 있다. (경험)

　④ 너는 영화배우를 만난 적이 있니? (경험)

　⑤ 나는 내 시계를 잃어버렸다. (결과)

26 그녀는 이번 주 월요일부터 아팠다.

　캐시는 3년 동안 이 집에서 살고 있다.

[27~28] 그는 2018년에 한국에 살기 시작했다.

　　　그녀는 여전히 한국에 살고 있다.

그는 2018년부터 한국에 살고 있다.

27 나는 제인을 2018년에 처음 만났다.

나는 여전히 제인을 만난다.

나는 2018년부터 제인을 만났다.

28 나는 2년 전에 영어를 공부하기 시작했다.

나는 여전히 그것을 공부한다.

나는 2년 동안 영어를 공부하고 있다.

29 A: 너는 그 영화를 얼마나 많이 봤니?

B: 나는 그 영화를 세 번 봤다.

30 그는 2019년에 이 기계를 발명했다.

Chapter 13 관계대명사

Practice 1
p. 67

1 01 who 02 who 03 who 04 which
05 which 06 which 07 that 08 who
09 that 10 which 11 that 12 which

해석 및 해설

07/09 *that은 사람/사물/동물일 때 모두 사용할 수 있습니다.

11 *사람과 동물이 선행사로 함께 쓰일 때 that을 씁니다.

Practice 2
p. 68

1 01 which 02 who 03 which 04 who
05 which

2 01 the book 02 a picture 03 houses 04 the table
05 the dress

Practice 3
p. 69

1 01 who 02 which 03 which 04 who
05 which 06 who 07 which 08 who
09 which 10 who 11 who 12 which

Chapter 14 주격 관계대명사

Practice 1
p. 71

1 01 who 02 which 03 were
04 that 05 are 06 who
07 has 08 who 09 who

Practice 2
p. 72

1 01 who 02 who 03 which 04 who
05 who

2 01 나는 중국어를 할 수 있는 사람이 필요하다.
02 우리는 1950년에 지어진 집에 산다.
03 의자 밑에서 자고 있는 고양이를 봐라.
04 그녀는 자주 맛이 좋은 피자를 만든다.
05 유리창을 깨뜨린 소년은 도망갔다.

Practice 3
p. 73

1 01 the bus that goes
02 the scientists who made the robot
03 the cap which was on the table
04 the boy who can solve
05 the train that leaves

2 01 lives 02 are 03 who / that
04 which / that 05 has

Chapter 15 목적격 관계대명사

Practice 1
p. 75

1 01 목적격 02 주격 03 목적격
04 목적격 05 목적격 06 목적격
07 주격 08 목적격 09 주격

Practice 2
p. 76

1 01 which 02 that 03 whom 04 that
05 that 06 that 07 which 08 that
09 which 10 who 11 which 12 which

Practice 3
p. 77

1
01 fixed the bicycle that I broke
02 the pizza that he made
03 read the book that I bought
04 the camera that she wants to buy
05 the pictures which he took

2
01 She ate the curry and rice I made.
02 This is the book you have to read.
03 The cake he bought yesterday was delicious.
04 The man we met at the party didn't like dancing.
05 The dictionary I'm using now is old.

해석 및 해설

01 그녀는 내가 만든 카레라이스를 먹었다.
02 이것은 네가 읽어야 하는 책이다.
03 그가 어제 샀던 케이크는 맛있었다.
04 우리가 파티에서 만났던 남자는 춤을 좋아하지 않았다.
05 내가 지금 사용하고 있는 사전은 오래됐다.

Chapter 16 관계대명사 what과 that

Practice 1
p. 79

1
01 what	02 what	03 which	04 that
05 what	06 that	07 What	08 that
09 what	10 that	11 who	12 that

해석 및 해설

06/10/12 *뒤에 완전한 문장이 오므로 that은 접속사입니다.

Practice 2
p. 80

1
01 관계대명사 / 이것이 그가 지난해 산 컴퓨터이다.
02 접속사 / 나는 그가 정직하다고 믿는다.
03 관계대명사 / 나는 정원이 없는 작은 집에 산다.
04 접속사 / 난 네가 사과를 좋아하는 것을 알고 있다.
05 관계대명사 / 그녀는 내가 재배한 사과를 좋아한다.

2
01 What you saw
02 believe what I said
03 understand what you are saying
04 the watch that she had
05 bought what we needed

Practice 3
p. 81

1
01 what	02 what	03 What	04 that
05 what	06 that	07 what	08 What
09 what	10 that	11 what	12 that

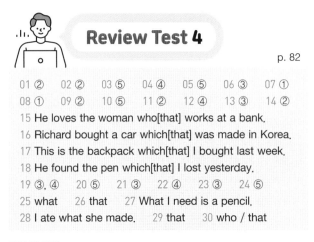

Review Test 4
p. 82

01 ② 02 ② 03 ⑤ 04 ④ 05 ⑤ 06 ③ 07 ①
08 ① 09 ② 10 ⑤ 11 ② 12 ④ 13 ③ 14 ②
15 He loves the woman who[that] works at a bank.
16 Richard bought a car which[that] was made in Korea.
17 This is the backpack which[that] I bought last week.
18 He found the pen which[that] I lost yesterday.
19 ③, ④ 20 ⑤ 21 ③ 22 ④ 23 ③ 24 ⑤
25 what 26 that 27 What I need is a pencil.
28 I ate what she made. 29 that 30 who / that

해석 및 해설

01 테드는 노란 털의 개가 있다.
02 이것은 어제 내가 읽은 책이다.
03 에릭은 프랑스어로 말할 수 있는 유일한 소년이다.
04 이것은 내가 원한 것이 아니다.
05 ① 나는 그녀가 좋아하는 소년을 안다.
　② 이것은 내가 살고 있는 집이다.
　③ 이것은 나의 아빠가 지은 집이다.
　④ 그녀는 많은 장미가 있는 정원이 있다.
　*사물에는 which나 that을 사용합니다.
06 ① 나는 많은 그림이 있는 책을 좋아한다.
　② 영어는 내가 가장 좋아하는 과목이다.
　④ 그는 매우 뜨거운 차를 마셨다.
　⑤ 이것은 그가 어제 샀던 시계다.
　*주격 관계대명사는 who를 씁니다.
07 ① 너는 누구를 가장 좋아하니?
　② 나는 치마를 입고 있는 소녀를 알고 있다.
　③ 나는 너를 아는 소녀를 만났다.
　④ 이 사람은 한국어를 할 줄 아는 소년이다.
　⑤ 그는 컴퓨터를 발명한 과학자였다.
　*①은 문장에서 목적어 역할을 하고 있습니다.
08 ① 스페인은 내가 방문하고 싶은 나라다.
　② 그녀는 은행에서 일하는 남자를 만났다.
　③ 봄은 겨울 다음에 오는 계절이다.
　④ 나는 신선한 야채를 파는 가게에 갔다.
　⑤ 식탁 위에 있는 상자를 열어라.
　*①은 관계대명사 목적격이고 나머지는 주격입니다.

09 ① 나는 네가 카페에서 만났던 남자를 알고 있다.

② 나는 춤을 추고 있는 소녀를 좋아한다.

③ 이것은 내가 어제 봤던 영화다.

④ 이것은 그녀가 잃어버린 것과 같은 가방이다.

⑤ 나는 에이미가 지금 입고 있는 드레스를 좋아한다.

*②는 관계대명사 주격이고 나머지는 목적격입니다.

10 ① 그는 내가 만든 피자를 좋아한다.

② 우리가 만났던 사람들은 매우 친절했다.

③ 이것들은 그가 나에게 준 연필들이다.

④ 나는 샘이 좋아하는 소녀를 알고 있다.

⑤ 그는 꼬리가 긴 고양이가 있다.

*⑤는 관계대명사 주격이고 나머지는 목적격입니다.

11 축구를 하는 사람들은 많은 물을 마셔야 한다.

그들은 나의 엄마가 구운 쿠키를 좋아했다.

15 그는 그 여자를 사랑한다.

그 여자는 은행에서 일한다.

16 리차드는 차를 샀다.

그 차는 한국에서 만들어졌다.

17 이것은 배낭이다.

나는 지난주에 이것을 샀다.

18 그는 펜을 찾았다.

나는 어제 펜을 잃어버렸다.

19 이것은 나의 아빠가 작년에 사용했던 컴퓨터다.

20 이것은 내가 샀던 것이 아니다.

*선행사가 없으므로 what이 와야 합니다.

21 ① 그는 우리가 좋아하는 선생님이다.

② 그녀는 내가 사랑하는 소녀다.

③ 나는 네가 매우 친절하다고 생각한다.

④ 그녀는 내가 그녀에게 보냈던 편지를 읽고 있다.

⑤ 그는 엄마가 그에게 사줬던 모자를 쓰고 있다.

*③은 that 이하 완전한 문장이 왔으므로 접속사입니다.

22 ① 나는 기타를 치고 있는 소녀를 좋아한다.

② 열심히 공부하는 많은 학생들이 있다.

③ 그녀는 정직한 누군가를 원한다.

④ 그는 높이 뛰어오를 수 있는 고양이를 키운다.

⑤ 저분은 내가 카페에서 봤던 남자다.

*which는 선행사가 사람인 것에 쓸 수 없습니다.

23 ① 이것은 내가 두 번이나 봤던 영화다.

② 나는 어제 네가 만났던 남자를 알고 있다.

③ 나는 한국 음식을 좋아한 숙녀를 만났다.

④ 그는 네가 만든 샌드위치를 먹었다.

⑤ 그녀는 그가 추천해 준 책을 읽었다.

*목적격 관계대명사는 생략할 수 있습니다.

24 ① 네 주머니에 가지고 있는 것을 보여줘라.

② 저것은 내가 사고 싶은 것이 아니다.

③ 그녀에게 내가 너에게 했던 말을 하지 마라.

④ 내가 원하는 것은 네 자전거다.

*what은 선행사가 오지 않습니다.

실전모의고사 1회

01 ④   02 ⑤   03 ⑤   04 ⑤   05 ①   06 ⑤   07 ②
08 ①   09 ③   10 to eat   11 ②   12 ④   13 ①
14 ④   15 has lived   16 ⑤   17 ③
18 which / that   19 ⑤
20 Amy is wearing the dress which[that] I bought for her.

해석 및 해설

01 테드는 나에게 그의 시계를 보여줬다.

02 그는 그의 아들에게 컴퓨터를 사줬다.

03 그 산은 눈으로 덮여 있다.

04 책상에 책이 있다. (1형식)

① 이것은 얼룩말이다. (2형식)

② 나는 축구하는 것을 즐긴다. (3형식)

③ 제임스는 나에게 꽃을 좀 보냈다. (4형식)

④ 그녀는 나에게 영어를 가르친다. (4형식)

⑤ 나는 매일 학교에 간다. (1형식)

05 그는 나에게 카메라를 사줬다. (4형식)

① 그녀는 나에게 편지를 보냈다. (4형식)

② 나의 아빠는 과학자다. (2형식)

③ 그들은 정오에 점심을 먹는다. (3형식)

④ 그는 나를 거짓말쟁이라고 불렀다. (5형식)

⑤ 에이미는 언제나 바쁘다. (2형식)

06 ① 그의 목표는 가수가 되는 것이다.

② 그는 흡연을 그만하기로 약속했다.

③ 나는 축구를 하고 싶지 않다.

④ 제인은 책 읽는 것을 좋아한다.

⑤ 나는 쓸 펜이 필요하다.

*⑤는 to부정사가 형용사로 쓰였고 나머지는 명사로 쓰였습니다.

07 그는 먹을 무언가를 원한다.

① 그는 의사가 되기를 원한다.

② 나는 할 일이 많다.

③ 나는 너를 봐서 기쁘다.

④ 나는 친구를 만나기 위해 나갔다.

⑤ 샘은 이메일 보내는 것을 잊어버렸다.

*보기의 to부정사는 형용사로 쓰였습니다.

08 *to부정사를 목적어로 취하는 동사가 와야 합니다.

09 ① 컴퓨터 게임을 하는 것은 신난다.

② 나의 취미는 컴퓨터 게임을 하는 것이다.

③ 무대에서 춤추는 소녀들을 봐라.

④ 그의 직업은 영어를 가르치는 것이다.

⑤ 나는 컴퓨터 게임하는 것을 좋아한다.

*③은 현재분사이고 나머지는 동명사입니다.

11 ① 지난 일요일 이후로 비가 내렸다.

③ 너는 어제 해변에 갔니?

④ 나는 2020년 이후로 중국에서 살고 있다.

⑤ 그들은 스페인에 가본 적이 있다.

*현재완료시제는 확정 과거와 함께 쓰지 않습니다.

12 ① 메리는 3시간 동안 피아노를 연습했다. (계속)

② 베이커 씨는 시계를 잃어버렸다. (결과)

③ 나는 숙제를 막 끝냈다. (완료)

④ 나는 서울에 세 번 가봤다. (경험)

⑤ 그녀는 파리에 가버렸다. (완료)

*보기의 현재완료는 경험을 나타냅니다.

13 ① 그녀는 고양이를 잃어버렸다. (결과)

② 나는 전에 저 영화를 봤다. (경험)

③ 나는 이미 설거지를 했다. (완료)

④ 마이크는 차를 막 다 마셨다. (완료)

⑤ 그는 작년부터 영어를 배우고 있다. (계속)

*보기는 현재완료 결과를 나타냅니다.

14 ① 그 기차는 막 여기에 도착했다. (완료)

② 나는 작년부터 그녀를 만나왔다. (계속)

③ 에이미는 버스에 우산을 놓고 내렸다. (결과)

④ 나는 이 영화를 세 번 봤다. (경험)

⑤ 나의 엄마는 2010년부터 영어를 가르치시고 있다. (계속)

16 이것은 내가 숲에서 발견한 상자다.

17 저 사람은 내가 어제 버스에서 만났던 남자다.

18 이것이 네 아빠가 작년에 샀던 자동차니?

20 에이미는 드레스를 입고 있다.

나는 그녀에게 그것을 사줬다.

실전모의고사 2회

01 ④　　02 ⑤　　03 ⑤　　04 ⑤　　05 ④　　06 ③　　07 ②
08 ②　　09 ⑤　　10 ⑤　　11 ②　　12 (who[that] is) walking
13 ②　　14 ④　　15 ⑤　　16 who / that　　17 ①　　18 ⑤
19 돈은 내가 원하는 것이 아니다.　　20 for

해석 및 해설

01 ① 책상 위에 책이 있다. (1형식)

② 그녀는 간호사다. (2형식)

③ 나는 오늘 자유다. (2형식)

④ 그는 흡연을 그만뒀다. (3형식)

⑤ 그는 나를 행복하게 만들었다. (5형식)

02 ① 나는 그 책을 폴에게 줬다. (3형식)

② 그녀는 피자를 아주 많이 좋아한다. (3형식)

③ 그는 중국어 배우는 것을 포기했다. (3형식)

④ 샘은 학교에 걸어가고 있다. (1형식)

⑤ 그녀는 나에게 맛있는 음식을 좀 만들어줬다. (4형식)

03 나의 방은 초들로 가득 차 있다.

04 공원은 아이들로 붐볐다.

05 그는 나에게 일본어를 가르친다. (4형식)

① 나는 사과를 좋아한다. (3형식)

② 그녀는 케이크를 그에게 사줬다. (3형식)

③ 나는 그녀의 이름을 기억한다. (3형식)

④ 그녀는 그들에게 피자를 만들어줬다. (4형식)

⑤ 박물관 옆에 은행이 있다. (1형식)

06 제이미는 나를 슬프게 만들었다. (5형식)

① 나는 어제 그를 만났다. (3형식)

② 그녀는 방에서 춤을 추고 있다. (1형식)

③ 우리는 길을 건너는 그들을 봤다. (5형식)

④ 오늘은 덥다. (2형식)

⑤ 그는 나에게 사진들을 보여줬다. (4형식)

07 그는 물을 사기 위해 편의점에 갔다.

08 나는 너를 봐서 기쁘다. (감정의 원인)

① 나는 살 집이 필요하다.

② 그는 게임에 이겨서 기뻤다. (감정의 원인)

③ 그는 삼촌을 만나기 위해 서울에 갔다.

④ 나는 프라이드치킨을 먹고 싶다.

⑤ 나는 마실 물이 필요하다.

09 나는 샤워할 시간이 없다. (형용사)

① 나는 선생님이 되고 싶다.

② 그는 흡연을 그만하기로 결심했다.

③ 제임스는 다음 달에 서울을 방문하기로 계획했다.

④ 그는 설거지하는 것을 좋아한다.

⑤ 나는 말할 누군가가 필요하다. (형용사)

10 나는 앉을 의자가 필요하다.

11 *forget 다음에 to부정사가 오면 아직 하지 않은 일을 나타냅니다.

13 너는 전에 그 영화를 본 적이 있니?

14 나의 형은 어제부터 아팠다.

15 너는 싱가포르에 가본 적이 있니? (경험)

① 그녀는 막 집에 돌아왔다. (완료)

② 나는 오랫동안 너를 보지 못했다. (계속)

③ 오늘 아침부터 바람이 불고 있다. (계속)

④ 테드는 보고서를 막 끝냈다. (완료)

⑤ 나는 전에 비빔밥을 먹어본 적이 있다. (경험)

16 나는 공을 가지고 놀고 있는 소년을 알고 있다.

17 ② 이 사람은 내 옆집에 사는 소년이다.

③ 이것은 그녀가 나에게 주었던 가방이다.

④ 샘은 그녀가 썼던 책을 읽고 있다.

⑤ 나는 빨리 달릴 수 있는 개가 있다.

*선행사 the book이 있으므로 목적어 it을 빼야 합니다.

18 ① 스미스 씨는 나에게 역사를 가르치시는 선생님이다. (주격)

② 그녀는 빨간 드레스를 입고 있는 내 누나다. (주격)

③ 톰은 재미있는 영화를 봤다. (주격)

④ 하늘에 반짝이는 별들을 봐라. (주격)

⑤ 나의 언니가 내가 정말 좋아하는 가방을 가져갔다. (목적격)

실전모의고사 3회

01 ⑤   02 ②   03 ③   04 ②   05 ①   06 ①   07 ⑤
08 ②   09 ①   10 ⑤   11 (who[that] is) playing
12 to buy   13 eating a hamburger is my sister   14 ④
15 ②   16 ①   17 ①   18 ②   19 who[that] is
20 나는 내가 원하는 것을 샀다.

해석 및 해설

01 ① 나는 교실에 있었다. (1형식)

② 그녀는 선글라스를 쓰고 있다. (3형식)

③ 우리는 그녀가 노래하는 것을 들었다. (5형식)

④ 나는 어제 영화를 봤다. (3형식)

⑤ 그는 피곤해 보인다. (2형식)

02 ① 그는 나에게 물을 좀 줬다. (to)

② 나는 그에게 카메라를 사줬다. (for)

③ 그녀는 그에게 카드를 보냈다. (to)

④ 그녀는 나에게 그녀의 시계를 보여줬다. (to)

⑤ 그는 그들에게 재미있는 이야기를 했다. (to)

03 그 아기는 배고파 보인다. (2형식)

① 나는 당근을 좋아한다. (3형식)

② 나는 점심에 파스타를 먹었다. (3형식)

③ 제임스는 군인이다. (2형식)

④ 그녀는 친구들과 야구하는 것을 좋아한다. (3형식)

⑤ 나무 옆에 자동차가 있다. (1형식)

05 *look 다음에 형용사가 오면 '~인 거 같다'라는 의미입니다.

06 그 잡지는 일본어로 쓰였다.

07 나는 함께 놀 친구가 필요하다.

08 *동명사를 목적어로 취하는 동사가 필요합니다.

09 ① 방에 읽을 많은 책들이 있다. (형용사)

② 나는 수의사가 되고 싶다. (명사)

③ 샘은 자신의 방을 가지고 싶다. (명사)

④ 나는 너에게 편지 보내는 것을 잊어버렸다. (명사)

⑤ 그는 사람들 사진 찍는 것을 좋아한다. (명사)

10 에이미는 해변을 따라 달리고 있다. (현재분사)

① 그는 야구경기 보는 것을 좋아한다. (동명사)

② 나는 시험 보는 것을 싫어한다. (동명사)

③ 그와 함께 외식하는 거 어때? (동명사)

④ 나의 취미는 책을 읽는 것이다. (동명사)

⑤ 책을 읽고 있는 소년은 내 아들이다. (현재분사)

16 ① 사라는 그녀의 개를 잃어버렸다. (결과)

② 나는 작년부터 그녀를 만나왔다. (계속)

③ 너는 서울에 가본 적이 있니? (경험)

④ 나는 전에 이것을 봤다. (경험)

⑤ 나는 막 편지를 썼다. (완료)

17 ① 그는 그 아이를 구한 남자다. (주격)

② 이것은 내가 만든 의자다. (목적격)

③ 그는 내가 가장 좋아했던 펜을 잃어버렸다. (목적격)

④ 이것은 그녀가 읽기를 원한 잡지다. (목적격)

⑤ 내가 어제 샀던 책은 매우 재미있다. (목적격)

18 ① 나는 춤을 매우 잘 추는 친구가 있다.

③ 이 사람은 캐나다에서 온 소녀다.

④ 농부는 농장에서 일하는 사람이다.

⑤ 컴퓨터는 모두에게 매우 유용한 것이다.

*선행사가 사람인 경우에는 who나 that을 씁니다.

19 그 소년은 나의 형이다.

그는 소파에서 자고 있다.

memo

memo

WORKBOOK
&ANSWERS

Longman

ink books
www.inkbooks.co.kr
구매문의 02) 455 9620

[01~03] 다음 중 빈칸에 알맞은 것을 고르세요.

01

Ted showed his watch _____ me.

① in
② at
③ on
④ to
⑤ for

02

He bought a computer _____ his son.

① in
② at
③ on
④ to
⑤ for

03

The mountain is covered _____ snow.

① at
② by
③ to
④ of
⑤ with

[04~05] 다음 중 보기의 문장과 형식이 같은 문장을 고르세요.

04

There is a book on the desk.

① This is a zebra.
② I enjoy playing soccer.
③ James sent me some flowers.
④ She teaches me English.
⑤ I go to school every day.

05

He bought me a camera.

① She sent me a letter.
② My dad is a scientist.
③ They have lunch at noon.
④ He called me a liar.
⑤ Amy was always busy.

06 다음 중 밑줄 친 부분의 쓰임이 다른 것을 고르세요.

① His goal is to become a singer.
② He promised to stop smoking.
③ I don't want to play soccer.
④ Jane likes to read books.
⑤ I need a pen to write with.

07 다음 중 보기의 밑줄 친 부분과 그 쓰임이 같은 것을 고르세요.

He wants something to eat.

① He wants to be a doctor.
② I have a lot of things to do.
③ I'm happy to see you.
④ I went out to meet my friend.
⑤ Sam forgot to send an e-mail.

08 다음 중 빈칸에 알맞지 않은 것을 고르세요.

We _____ to go fishing.

① gave up
② wanted
③ liked
④ decided
⑤ planned

09 다음 중 밑줄 친 부분의 쓰임이 다른 것을 고르세요.

① Playing computer games is exciting.
② My hobby is playing computer games.
③ Look at the dancing girls on stage.
④ His job is teaching English.
⑤ I like playing computer games.

10 다음 주어진 단어를 이용하여 빈칸에 알맞은 말을 쓰세요.

Please give me something _____. (eat)
떡을 것 좀 주세요.

11 다음 중 문장이 바르지 않은 것을 고르세요.

① It has rained since last Sunday.
② I have met him last week.
③ Did you go to the beach yesterday?
④ I have lived in China since 2020.
⑤ They have been to Spain.

[12~13] 다음 중 보기의 현재완료와 쓰임이 같은 것을 고르세요.

12

Have you ever eaten Mexican food?
나는 멕시코 음식을 먹어본 적 있니?

① Mary has practiced the piano for 3 hours.
② Mr. Baker has lost his watch.
③ I have just finished my homework.
④ I have been to Seoul three times.
⑤ She has gone to Paris.

13

Tommy has gone to London.
토미는 런던에 가버렸다. (지금은 이곳에 없다.)

① She has lost her cat.
② I have seen that movie before.
③ I have already washed the dishes.
④ Mike has just finished drinking his tea.
⑤ He has learned English since last year.

14 다음 중 현재완료가 경험을 나타내는 것을 고르세요.

① The train has just arrived here.
② I have met her since last year.
③ Amy has left her umbrella on the bus.
④ I have watched this movie three times.
⑤ My mom has taught English since 2010.

15 다음 밑줄 친 부분을 바르게 고치세요.

Cathy lived in the apartment since last year.
캐시는 작년부터 이 아파트에서 살고 있다.

[16~17] 다음 중 빈칸에 알맞은 것을 고르세요.

16

This is the box _____ I found in the woods.

① and ② who ③ whom
④ what ⑤ that

17

That is the man _____ I met on the bus yesterday.

① and ② which ③ who
④ what ⑤ whose

18 다음 빈칸에 알맞은 관계대명사를 쓰세요.

Is this the car _____ your dad bought last month?

19 다음 중 우리말을 영어로 바르게 쓴 것을 고르세요.

나는 그녀가 말했던 것을 믿는다.

① I believe which she said.
② I believe whom she said.
③ I believe who she said.
④ I believe that she said.
⑤ I believe what she said.

20 다음 두 문장을 관계대명사를 이용하여 한 문장으로 만드세요.

Amy is wearing the dress.
I bought it for her.

01 다음 중 3형식 문장을 고르세요.
① There is a book on the desk.
② She is a nurse.
③ I am free today.
④ He stopped smoking.
⑤ He made me happy.

02 다음 중 4형식 문장을 고르세요.
① I gave the book to Paul.
② She likes pizza very much.
③ He gave up learning Chinese.
④ Sam is walking to school.
⑤ She made me some delicious food.

[03~04] 다음 중 빈칸에 알맞은 말을 고르세요.

03
My room is filled _____ candles.
① at ② by ③ to
④ of ⑤ with

04
The park is crowded _____ children.
① at ② by ③ to
④ of ⑤ with

[05~06] 다음 중 보기와 문장의 형식이 같은 문장을 고르세요.

05
He teaches me Japanese.
① I like apples.
② She bought a cake for him.
③ I remember her name.
④ She made them pizza.
⑤ There is a bank next to the museum.

06
Jamie made me sad.
① I met him yesterday.
② She is dancing in her room.
③ We saw them crossing the street.
④ It is hot today.
⑤ He showed me his pictures.

07 다음 중 빈칸에 알맞은 것을 고르세요.
He went to the convenience store _____ water.
① bought ② to buy ③ to buying
④ buys ⑤ buying

[08~09] 다음 중 보기의 밑줄 친 부분과 그 쓰임이 같은 것을 고르세요.

08
I'm glad to see you.
① I need a house to live in.
② He was happy to win the game.
③ He went to Seoul to meet his uncle.
④ I would like to have fried chicken.
⑤ I need something to drink.

09
I don't have time to take a shower.
① I want to be a teacher.
② He decided to stop smoking.
③ James planned to visit Seoul next month.
④ He likes to wash the dishes.
⑤ I need someone to talk to.

10 다음 중 빈칸에 알맞은 것을 고르세요.
I need a chair to sit _____.
① with ② to ③ in
④ at ⑤ on

11 다음 중 우리말을 영어로 바르게 쓴 것을 고르세요.

> 답장하는 거 잊지 마.

① Don't forget write me back.
② Don't forget to write me back.
③ Don't forget to writing me back.
④ Don't forget writing me back.
⑤ Don't forget to written me back.

12 다음 주어진 단어를 이용하여 빈칸에 알맞은 말을 쓰세요.

> walk

Do you know the boy _____ the dog?
나는 개를 산책시키는 소년을 아니?

13 다음 보기의 질문에 알맞은 답변을 고르세요.

> Have you seen the movie before?

① Yes, I am.   ② No, I haven't.
③ Yes, I had.   ④ No, I been not.
⑤ I have gone to the theater.

14 다음 중 보기의 빈칸에 알맞은 것을 고르세요.

> My brother has been sick _____ yesterday.

① with   ② to   ③ in
④ since   ⑤ for

15 다음 중 보기의 현재완료와 쓰임이 같은 것을 고르세요.

> Have you ever been to Singapore?

① She has just came back home.
② I haven't seen you for a long time.
③ It has been windy since this morning.
④ Ted has just finished his report.
⑤ I have had bibimbap before.

---

16 다음 빈칸에 알맞은 관계대명사를 쓰세요.

I know the boy _____ is playing with the ball.

17 다음 중 문장이 바르지 않은 것을 고르세요.

① This is the book that I want to read it.
② This is the boy who lives next door.
③ This is the bag that she gave me.
④ Sam is reading the book that she wrote.
⑤ I have a dog which can run fast.

18 다음 중 밑줄 친 관계대명사의 쓰임이 다른 것을 고르세요.

① Mr. Smith is the teacher who teaches me history.
② She is my sister who is wearing a red dress.
③ Tom watched the movie that was interesting.
④ Look at the stars which are shining in the sky.
⑤ My sister took my bag that I really liked.

19 다음 영어를 우리말로 쓰세요.

> Money is not what I want.

20 다음 그림을 보고 빈칸에 알맞은 말을 쓰세요.

He will cook dinner _____ us.
그는 우리에게 저녁을 만들어줄 것이다.

2-2

01 다음 중 2형식 문장을 고르세요.

① I was in the classroom.
② She is wearing sunglasses.
③ We heard her singing.
④ I watched the movie yesterday.
⑤ He looks tired.

02 다음 빈칸에 들어갈 말이 다른 것을 고르세요.

① He gave some water _____ me.
② I bought a camera _____ him.
③ She sent a card _____ him.
④ She showed her watch _____ me.
⑤ He said a funny story _____ them.

03 다음 중 보기와 문장 형식이 같은 문장을 고르세요.

The baby looks hungry.

① I like carrots.
② I had pasta for lunch.
③ James is a soldier.
④ She likes playing baseball with her friends.
⑤ There is a car next to the tree.

04 다음 중 우리말을 영어로 바르게 쓴 것을 고르세요.

나는 그가 욕실에서 노래하는 것을 들었다.

① I heard his sing in the bathroom.
② I heard him sing in the bathroom.
③ I heard him to sing in the bathroom.
④ I heard him song in the bathroom.
⑤ I heard him to singing in the bathroom.

05 다음 중 빈칸에 알맞지 않은 것을 고르세요.

She looks _____ today.

① happily
② sad
③ busy
④ pretty
⑤ tired

06

The magazine is written _____ Japanese.

① in ② by ③ at
④ of ⑤ with

07

I need a friend to play _____.

① in ② by ③ at
④ of ⑤ with

08 다음 중 빈칸에 어울리지 않는 것을 고르세요.

She _____ eating noodles.

① enjoyed ② wanted ③ stopped
④ liked ⑤ minded

09 다음 중 밑줄 친 부분의 쓰임이 다른 것을 고르세요.

① There are many books to read in the room.
② I want to be an animal doctor.
③ Sam hopes to have his own room.
④ I forgot to send you a letter.
⑤ He likes to take pictures of people.

10 다음 중 보기의 밑줄 친 것과 쓰임이 같은 것을 고르세요.

Amy is running along the beach.

① He likes watching baseball games.
② I hate taking a test.
③ How about eating out with him?
④ My hobby is reading books.
⑤ The boy reading a book is my son.

16 다음 중 현재완료 문장이 결과를 나타내는 것을 고르세요.
① Sara has lost her dog.
② I have met her since last year.
③ Have you ever been to Seoul?
④ I have seen it before.
⑤ I have just written a letter.

17 다음 중 관계대명사의 쓰임이 다른 것을 고르세요.
① He is the man that saved the child.
② This is the chair which I made.
③ He lost the pen that I liked most.
④ It's the magazine which she wants to read.
⑤ The book that I bought yesterday is very interesting.

18 다음 중 문장이 바르지 않은 것을 고르세요.
① I have a friend who can dance very well.
② This is the man which lives next door.
③ This is the girl who came from Canada.
④ A farmer is a person who works on the farm.
⑤ A computer is a thing which is useful for everybody.

19 다음 두 문장을 하나로 연결할 때 빈칸에 알맞은 말을 쓰세요.

The boy is my brother.
He is sleeping on the sofa.

➜ The boy _____ sleeping
on the sofa is my brother.

20 다음 영어를 우리말로 쓰세요.

I bought what I wanted.

➜

[11~12] 다음 주어진 단어를 이용하여 빈칸에 알맞은 말을 쓰세요.

11 play

The boy _____ with the dog is my son.
개와 놀고 있는 소년은 나의 아들이다.

➜ _____

12 buy

She went to the market _____ some
vegetables. 그녀는 야채를 사기 위해 시장에 갔다.

➜ _____

13 다음 우리말과 일치하도록 주어진 단어를 바르게 배열하세요.

햄버거를 먹는 소녀는 내 여동생이다.
(a hamburger / eating / my sister / is)

➜ The girl _____

14 다음 중 우리말을 영어로 바르게 쓴 것을 고르세요.

나는 2010년부터 은행에서 일하고 있다.

① I worked at a bank since 2010.
② I have working at a bank for 2010.
③ I have work at a bank since 2010.
④ I have worked at a bank since 2010.
⑤ I have worked at a bank for 2010.

15 다음 중 우리말과 일치하도록 빈칸에 알맞은 것을 고르세요.

Susie has _____ to Busan.
수지는 부산에 가버렸다. (지금 여기에 없다.)

① been   ② gone   ③ be
④ go   ⑤ went

이름 :

점수 :

[01-03] 다음 중 빈칸에 알맞은 것을 고르세요.

01

Ted showed his watch _____ me.

① in   ② at   ③ on
④ to   ⑤ for

02

He bought a computer _____ his son.

① in   ② at   ③ on
④ to   ⑤ for

03

The mountain is covered _____ snow.

① at   ② by   ③ to
④ of   ⑤ with

[04-05] 다음 중 보기의 문장과 형식이 같은 문장을 고르세요.

04

There is a book on the desk.

① This is a zebra.
② I enjoy playing soccer.
③ James sent me some flowers.
④ She teaches me English.
⑤ I go to school every day.

05

He bought me a camera.

① She sent me a letter.
② My dad is a scientist.
③ They have lunch at noon.
④ He called me a liar.
⑤ Amy was always busy.

06 다음 중 밑줄 친 부분의 쓰임이 다른 것을 고르세요.

① His goal is to become a singer.
② He promised to stop smoking.
③ I don't want to play soccer.
④ Jane likes to read books.
⑤ I need a pen to write with.

07 다음 중 보기의 밑줄 친 부분과 그 쓰임이 같은 것을 고르세요.

He wants something to eat.

① He wants to be a doctor.
② I have a lot of things to do.
③ I'm happy to see you.
④ I went out to meet my friend.
⑤ Sam forgot to send an e-mail.

08 다음 중 빈칸에 알맞지 않는 것을 고르세요.

We _____ to go fishing.

① gave up   ② wanted   ③ liked
④ decided   ⑤ planned

09 다음 중 밑줄 친 부분의 쓰임이 다른 것을 고르세요.

① Playing computer games is exciting.
② My hobby is playing computer games.
③ Look at the dancing girls on stage.
④ His job is teaching English.
⑤ I like playing computer games.

10 다음 주어진 단어를 이용하여 빈칸에 알맞은 말을 쓰세요.

Please give me something _____ . (eat)
빈칸을 꼭 주세요.

1-1

11 다음 중 문장이 바르지 않은 것을 고르세요.

① It has rained since last Sunday.
② I have met him last week.
③ Did you go to the beach yesterday?
④ I have lived in China since 2020.
⑤ They have been to Spain.

[12~13] 다음 중 보기의 현재완료와 쓰임이 같은 것을 고르세요.

12

Have you ever eaten Mexican food?
나는 멕시코 음식을 먹어본 적 있니?

① Mary has practiced the piano for 3 hours.
② Mr. Baker has lost his watch.
③ I have just finished my homework.
④ I have been to Seoul three times.
⑤ She has gone to Paris.

13

Tommy has gone to London.
토미는 런던에 가버렸다. (지금은 이곳에 없다.)

① She has lost her cat.
② I have seen that movie before.
③ I have already washed the dishes.
④ Mike has just finished drinking his tea.
⑤ He has learned English since last year.

14 다음 중 현재완료가 경험을 나타내는 것을 고르세요.

① The train has just arrived here.
② I have met her since last year.
③ Amy has left her umbrella on the bus.
④ I have watched this movie three times.
⑤ My mom has taught English since 2010.

15 다음 밑줄 친 부분을 바르게 고치세요.

Cathy lived in the apartment since last year.
캐시는 작년부터 이 아파트에서 살고 있다.

↑ _____

[16~17] 다음 중 빈칸에 알맞은 것을 고르세요.

16

This is the box _____ I found in the woods.

① and　② who　③ whom
④ what　⑤ that

17

That is the man _____ I met on the bus yesterday.

① and　② which　③ who
④ what　⑤ whose

18 다음 빈칸에 알맞은 관계대명사를 쓰세요.

Is this the car _____ your dad bought last month?

↑

19 다음 중 우리말을 영어로 바르게 쓴 것을 고르세요.

나는 그녀가 말했던 것을 믿는다.

① I believe which she said.
② I believe whom she said.
③ I believe who she said.
④ I believe that she said.
⑤ I believe what she said.

20 다음 두 문장을 관계대명사를 이용하여 한 문장으로 만드세요.

Amy is wearing the dress.
I bought it for her.

↑ _____

1-2